LE CODE D'ESTHER

Bernard BENYAMIN
avec Yohan PEREZ

LE CODE
D'ESTHER

FIRST
 Editions

© Éditions First-Gründ, Paris, 2012
60, rue Mazarine
75006 Paris – France
Tél. : 01 45 49 60 00
Fax : 01 45 49 60 01
Courriel : firstinfo@efirst.com
Internet : www.editionsfirst.fr

ISBN : 978-2-7540-4286-4
Dépôt légal : octobre 2012
Imprimé en France

Ouvrage dirigé par Benjamin Arranger
Secrétariat d'édition : Capucine Panissal
Correction : Marion Bello
Mise en page : ReskatoЯ 🐾

À la mémoire de ma mère, gardienne de la transmission.

Pour Nils et Raphaël, mes rayons de soleil.

B. B.

À mes deux princesses, Haya-Sarah et Magali.

Y. P.

« Le roi dit à la reine Esther : "À Suse la citadelle, les Juifs ont tué, ils ont fait disparaître 500 hommes et les dix fils d'Aman. Qu'auront-ils fait dans le reste des provinces royales ! Mais quelle est ta demande ? Elle te sera accordée. Quelle est encore ta requête ? Elle sera exaucée." Esther répondit : "Si cela te semble bon, ô roi, qu'il soit aussi permis aux Juifs de Suse d'agir demain comme aujourd'hui, et qu'on pende les dix fils d'Aman à la potence !" »

LIVRE D'ESTHER

Avant de commencer...

Le livre que vous venez d'ouvrir n'est pas comme les autres. Au bout de quelques pages, vous penserez sans doute qu'il se situe du côté des romans. Or, tout ce qui est raconté ici est vrai. Les personnages qui interviennent existent réellement. Tous les faits relatés sont rigoureusement exacts. Rien n'est inventé.

Mais ce n'est pas tout. Ce livre est lié à une application du même nom : « Le Code d'Esther ». Nous vous recommandons de la télécharger avec votre Smartphone afin de décrypter les drôles de vignettes truffées de signes hiéroglyphiques que vous rencontrerez au fil de votre lecture. Ce sont des QR Codes. Vous pourrez les flasher et accéder ainsi à un supplément d'information : vidéos, photos, documents, etc. À vous de les découvrir ! Cela vous permettra de participer à l'aventure et de déceler de nouveaux éléments que vous nous ferez partager.

Vous pouvez à présent entrer dans l'enquête sur la prophétie la plus troublante du xxe siècle.

Découvrez l'application du code d'Esther disponible
sur Google Play et Apple-Store
Retrouvez-nous sur : www.lecodedesther.com
Mais aussi sur : www.facebook.com/lecodedesther
Et suivez notre fil sur Twitter @editionsfirst

Prologue

Faut-il croire au hasard ? Je ne me posais pas la question en poussant, ce soir-là, la porte d'une synagogue de quartier. Pourtant, les lectures de Paul Bowles ou de Jorge Luis Borges auraient dû m'alerter sur la possibilité de basculer dans un autre monde au moindre pas risqué sur les dalles d'une maison inconnue dont on aurait entrouvert le portail. Je connaissais évidemment la théorie du mektoub arabe, où tout est écrit, où l'enchaînement inéluctable des choses s'accomplit selon un principe établi qui relève du divin. J'avais repéré, depuis longtemps déjà, les clins d'œil verbaux et géniaux d'Albert Einstein, qui affirmait que « le hasard, c'est Dieu qui se promène incognito »... Mais non, la question ne m'a pas effleuré au moment où j'entrai dans le temple. Plus tard, oui, elle ne cessera de me hanter, me faisant perdre le sommeil, me forçant à m'interroger devant ce miroir en abyme qui s'ouvrait devant moi. Je me souviendrai à ce moment-là d'une phrase de Paul Éluard : « Il n'y a pas de hasard, il n'y a que des rendez-vous. » Mais, bon... Voilà que je traîne, que je m'embrouille... Le mieux, c'est encore que je reprenne tout depuis le début.

I

Au commencement

Maman venait de mourir. Elle nous avait lâchés au petit matin d'un dimanche glacé de février. C'est curieux, la mort, quand elle survient : une succession de souffles courts comme des goulées d'oxygène désespérées, comme pour essayer de retenir encore un peu plus la nuit, le jour et la vie, et puis, brusquement, ça s'arrête. Il n'y a plus de souffle, il n'y a plus ni jour ni nuit, il n'y a plus de vie. C'est brutal, violent comme un coup de poing dans l'estomac, et au moment où l'on se dit « C'est ça la mort ? », tout est déjà fini. Maman était partie. On crie, on hurle, on ne pleure pas encore, ce sera pour plus tard, on essaie de retrouver des gestes que l'on ne nous a jamais appris et on lui ferme les yeux, on étend son corps sur ce lit qu'elle ne quittait plus depuis six mois et on sent, ou on imagine, que l'âme, l'entité, la personnalité, que sais-je, se retire. Elle n'a plus rien à faire ici, elle s'en va loin des pleurs et de la douleur. Cela ne la concerne plus. Elle a fait sa part des choses, elle peut se reposer.

Elle s'appelait Mireille et était une combattante en même temps qu'une femme libre. Après l'indépendance de l'Algérie, elle s'était retrouvée, avec son mari, Jacques, et ses quatre enfants, fraîchement débarquée dans un pays dont on disait qu'il était le nôtre mais que nous n'avions jamais vu. Elle avait lutté pour reconstituer un foyer, élever ses enfants dans la dignité, leur donner une éducation qui ferait d'eux des sujets de fierté. Mon père n'était pas en reste, loin de là. Je me souviens encore de lui, perdant peu à peu la vue, calculant le nombre de stations de métro, les correspondances et les couloirs qu'il lui fallait emprunter chaque jour pour se rendre à son travail. Après de nombreux ratés, il ne s'est plus jamais trompé, et personne n'a pu soupçonner une seconde qu'il ne voyait plus rien. Un cancer l'avait finalement emporté plus de vingt ans plus tôt, au bout d'une vie qui ne lui avait rien épargné. Mais ma mère avait relevé la tête et continué son combat : il fallait que ses enfants ne manquent de rien et bénéficient d'une vie meilleure que la sienne. Très vite, elle comprit qu'elle pouvait se réaliser à travers eux et jouir de leurs expériences, de leurs voyages, de leurs promotions avec la même intensité que si elle les avait vécus. Elle fit ainsi, par procuration, plusieurs fois le tour du monde et reçut divers hommages qui vinrent lui confirmer que ses enfants étaient décidément les plus beaux et les plus intelligents de la planète.

C'était aussi une femme libre, avide de nouvelles connaissances, curieuse de tout, n'hésitant pas à émettre des avis peu respectueux du politiquement correct ou de la tradition nord-africaine. Un jour, un de ses lointains neveux, se régalant de sa *tafina* de haricots, sorte de cassoulet d'outre-Méditerranée, lui lança ce qu'il pensait être un compliment définitif : « Rien à ajouter à ce festin sinon que la place des femmes est à la cuisine et nulle part ailleurs ! » Elle se figea devant la marmite fumante, observa un silence de plusieurs secondes avant de lâcher : « Je suis d'accord sur un point : une femme doit être la mère nourricière pour toute sa famille, mais elle ne doit pas hésiter à mettre du poison dans sa cuisine pour les machos de ton espèce ! » La tablée applaudit à tout rompre, et le pauvre neveu n'eut d'autre choix que de plonger le nez dans son assiette. Ma mère rayonnait, retrouvant des attitudes de fierté andalouse, origine que trahissaient aussi ses cheveux noirs, ses yeux en amande et sa peau laiteuse. Et il est vrai qu'elle personnifiait cette mère nourricière, inventant sans cesse de nouvelles recettes pour rassembler ses enfants autour d'elle. Du reste, la cuisine constituait son véritable royaume, son Q. G., où elle écoutait la radio, regardait la télé et répondait aux sollicitations du monde entier. Entre sa cuisinière et son réfrigérateur, elle régnait sur le sort de l'univers, c'est-à-dire un bloc d'immeubles entre la rue Saint-Fargeau et la rue Henri-Poincaré dans le XXe arrondissement de Paris.

Encore deux images d'elle avant que je ne la quitte. D'abord sa silhouette à la fenêtre guettant mon arrivée, du haut de ses six étages, ou pour me faire un signe lorsque je repartais chez moi. Elle me suivait du regard jusqu'à ce que je sorte de son champ de vision, comme si ses yeux détenaient un pouvoir de protection universelle qui allait m'accompagner tout au long du périphérique. Un an après son décès, chaque fois que je passe dans sa rue, je ne peux m'empêcher de jeter un coup d'œil à sa fenêtre. Les volets sont fermés, mais je continue à sentir sa présence et son regard dans mon dos lorsque je m'éloigne de son immeuble.

La seconde image, c'est celle de ma mère dans un kimono japonais rescapé des années algériennes, et qu'elle mettait un point d'honneur à revêtir lors de la fête de Kippour. Elle nous accueillait, frêle et bienveillante mais les traits tirés par la journée de jeûne qu'elle venait de passer, tenant à la main une cuillerée de confiture de coings préparée par ses soins, et qu'elle nous offrait afin que l'année soit douce comme le sirop de la confiture. Elle nous prenait alors dans ses bras, du haut de son mètre soixante, et nous serrait contre elle comme si un siècle s'était écoulé depuis notre dernière rencontre. Aujourd'hui encore, je sens le grain de sa peau sur mes lèvres et les accents de vanille de son parfum préféré.

17

Je reconnais maintenant avoir commis une erreur, une seule, face à la maladie de ma mère. Elle avait 91 ans, mais, à mes yeux, elle s'était arrêtée de vieillir depuis une trentaine d'années. Insidieusement s'était développée en moi l'idée qu'elle était éternelle. Je sais, c'est idiot, c'est une conviction qui défie toutes les règles basiques de la biologie humaine, mais je pensais, inconsciemment, que ma mère pouvait constituer une exception. Et, malgré les signaux envoyés par la maladie, je ne parvenais tout simplement pas à imaginer qu'elle pourrait s'arrêter de vivre. Aussi, lorsque son souffle s'éteignit ce petit matin d'hiver, tombai-je en chute libre comme dans une cage d'ascenseur devenue incontrôlable et dont on sait qu'elle va inexorablement s'écraser quelques étages plus bas. J'étais dévasté, seul et nu. Il me faudrait désormais apprendre à vivre sans elle.

Pendant la semaine qui suivit, nous avions tenu à respecter les règles religieuses (ma mère était très croyante) qui régissent un décès. Le corps posé à même le sol, un drap blanc tendu contre le mur, telle une tente, soustrayant le défunt au regard des vivants ; les obsèques au cimetière (elle reposerait aux côtés de son mari), où je ne m'aventurai pas à prononcer un mot de crainte d'éclater en sanglots, la chemise lacérée par le rabbin pour que l'on puisse voir de loin que nous étions en deuil ; et puis les « sept jours », passés ensemble, entre frères et sœurs, où l'on pleure et l'on rit au gré des souvenirs et qui jouent le rôle d'une catharsis, géniale invention de la religion mise en œuvre bien avant les théories freudiennes, nous amenant doucement vers l'acceptation de la mort et la reprise progressive de la vie ordinaire.

Vint enfin le moment de se séparer et de regagner les domiciles respectifs, lâchés dans le monde du dehors, celui des vivants qui ignorent tout de l'épreuve que l'on vient de subir. C'est l'heure de vérité où chacun porte sa peine, sans l'aide de l'autre, et se doit d'avancer dans la banalité tragique des gestes du quotidien. Il n'y a pas d'alternative, nous avaient dit les rabbins, elle est désormais en vous et vous devez respecter sa mémoire en chérissant la vie. Oui, peut-être, mais pas si facile. Alors, on respire et on marche, on redresse la tête et on paie les factures, on s'enferme aux toilettes pour cacher un accès soudain de chagrin et on fait bonne figure auprès des collègues de bureau. Mais là encore, comme un service après-vente sacré, la religion a tout prévu, avec le devoir de réciter le Kaddish.

Trois fois par jour, les fils d'un défunt doivent se rendre à la synagogue pour dire le Kaddish, appelé à tort la « prière des morts » alors que pas un mot ne fait référence au deuil récent. C'est l'une des pièces centrales de la liturgie juive, que l'on doit prononcer en langue araméenne, la langue la plus utilisée à l'époque de Babylone. Elle est dirigée vers Dieu afin que Son nom soit exalté, grandi et magnifié. À terme, l'abnégation du récitant ne pourra qu'influencer favorablement le tribunal céleste devant lequel se tient l'âme du disparu. Vous imaginez la responsabilité des fils après la mort de leurs parents ? S'ils ne récitent pas le Kaddish consciencieusement, ils risquent de retarder la montée au Ciel de leur père ou de leur mère. Et pas question d'invoquer une réunion de travail, un contrat à signer ou plus prosaïquement une fatigue en fin de journée : votre absence met en péril l'âme de vos géniteurs. Paniqué, je me mis à la recherche d'une synagogue proche de mon domicile qui puisse accueillir mon Kaddish et ainsi sauver de l'oubli l'âme de ma mère.

Internet fut mon sauveur. En quelques minutes, il me fournit l'adresse d'un temple à une centaine de mètres de chez moi ! Je m'y rendis en repérage, non sans une certaine appréhension. C'était un édifice « Eiffel », avec ses arches et assises en acier typiques du génial constructeur du monument le plus emblématique de Paris. À l'intérieur d'une cour, nichée à l'arrière de l'édifice, se tenait la synagogue, défendue par un imposant portail en bois massif, et dont la façade ne comportait qu'un seul indice sur la fonction du bâtiment, une *mezouzah*, rouleau renfermant un extrait des Saintes Écritures et censé protéger le lieu.

La peur au ventre, je me décidai à pousser la porte. L'entrée était déserte. Quelques photos tapissaient les murs, souvenirs de cérémonies qui s'étaient déroulées dans l'enceinte de la synagogue, ainsi qu'un tableau fixant les heures de prières en fonction du lever et du coucher du soleil. Au fond du hall, un portemanteau mis sans doute à la disposition des fidèles mais auquel nul vêtement n'était accroché. À gauche, une salle tapissée de livres où trônait une immense table au bout de laquelle se trouvait un homme assis que j'allai interrompre dans son étude.

« Excusez-moi… »

L'homme redressa la tête. Âgé d'une quarantaine d'années, il était brun avec une barbe qui lui mangeait le visage, vêtu d'un costume sombre et d'une cravate bleue. Je me souviens d'avoir pensé à ce moment-là : « Mais qui, à notre époque, porte encore des cravates, en dehors des hommes politiques et des présentateurs du journal de 20 heures ? » Et, dans la foulée : « Ça ne peut être que le rabbin. »

« Excusez-moi, repris-je d'une voix mal assurée, je suis bien dans une synagogue ?

— Mieux que ça, répondit-il en souriant, vous êtes ici chez vous ! »

Ce n'était rien, un mot, une formule de politesse, un peu de gentillesse, mais cette entrée en matière me fit monter les larmes aux yeux. J'étais encore fragile, je le savais, et je devais me méfier de la moindre émotion, mais je commençais à penser que je n'avais pas eu tort de pousser la lourde porte en bois. Je lui expliquai la raison de ma présence, le décès de ma mère, le Kaddish, etc.; et ma volonté de faire partie, pour un temps, de sa communauté. Il s'approcha de moi et, de façon inattendue, il me prit dans ses bras, me présenta ses condoléances en m'assurant que je trouverais là toute l'aide nécessaire à l'accomplissement des rites liés à la mort d'un parent. Il me questionna aussi pour savoir qui j'étais, d'où je venais, ce que j'attendais de lui avant de m'inviter à prendre place dans la synagogue contiguë à son bureau.

« L'office ne commencera que dans un quart d'heure, me dit-il, mais venez, je vais vous présenter aux fidèles déjà présents. »

La salle était bien de facture Eiffel, avec ses arches d'acier qui la traversaient de part en part. À peine avait-on ajouté un faux plafond blanc duquel descendait un immense lustre dominant la pièce. Sur la gauche, l'autel où devait officier le rabbin; face à lui, l'endroit renfermant les rouleaux de la Loi, que protégeaient de lourds rideaux de velours ocre, et, entre les deux, des bancs en bois se faisant face qui pouvaient accueillir 200 à 300 personnes. Aucun luxe ostentatoire, une certaine rigueur dans l'agencement tempérée par la lumière, douce, qui entrait par les vitraux. Il y avait là Samuel Toledano, vaillant octogénaire originaire de Meknès, véritable puits de science en matière liturgique. Je rencontrai aussi deux jeunes hommes d'une vingtaine d'années que le rabbin me présenta comme les deux voix d'or de la synagogue. D'autres encore dont j'ai oublié les noms mais qui, d'un geste, d'un sourire ou parfois d'une parole, m'offraient, comme les autres, un surcroît de réconfort. Enfin, un peu à l'écart, au dernier rang, était assis un homme d'une quarantaine d'années, le regard éteint, et que le rabbin tenait à me présenter. Il était mal rasé, la chemise lacérée; je reconnus là l'un de mes compagnons dans l'épreuve du deuil.

« Il vient de perdre son fils, me souffla-t-il. Il avait 11 ans. »

21

Un pan de ma douleur s'effrita d'un seul coup. Qui étais-je, moi qui venais de perdre ma mère de 91 ans, face à un père qui pleurait la mort de son fils ? Mon chagrin s'inscrivait dans l'ordre naturel des choses. Pas le sien. Ce sont les enfants qui doivent enterrer les parents. Pas l'inverse. Cette fois, c'était à moi de lui témoigner toute la commisération du monde, m'excusant presque de la banalité de mon cas. Je lui présentai mes condoléances, un sourire doux-amer sur les lèvres. La fonction psychologique du Kaddish faisait la preuve de son efficacité : la condition de cet homme allait m'aider à relativiser mon chagrin, à me sentir moins seul, à accepter l'inéluctable comme faisant partie intégrante de l'existence d'un homme sur la Terre.

« Tenez, installez-vous où vous voulez, me dit-il en m'entraînant vers le centre de la synagogue. L'office ne va pas tarder à commencer. Je vous laisse avec ce livre. »

Il extirpa, de l'un des casiers se trouvant au dossier de chaque siège, un ouvrage relié en cuir à la couverture beige. C'était un livre de prières rédigé en phonétique, véritable bouée de sauvetage pour tous les mécréants saisis d'une soudaine pulsion de foi mais imperméables aux caractères hébraïques. Mes maîtres en littérature avaient raison : en un quart d'heure, j'avais changé d'univers, allégé (un peu) ma peine et commencé à admettre que je n'étais pas l'homme le plus malheureux du monde. Uniquement en poussant la porte d'un édifice inconnu. Ah, ils étaient forts, tous ces docteurs de la foi qui avaient rédigé l'ensemble de ces principes de vie selon la loi hébraïque !

Plongé dans mes pensées, encore étourdi par l'avalanche de sentiments qui déferlait sur moi, je n'avais pas remarqué qu'un homme venait de s'asseoir à mes côtés. Pour être tout à fait exact, c'est moi qui venais de choisir un siège contigu au sien. Parce qu'à la synagogue chaque fidèle possède sa place, ses habitudes, son casier, dans lequel il range à la fin de chaque office ses livres et même parfois son *talit*, son châle de prière. Il me salua en silence, esquissa un sourire en apercevant mon livre à couverture beige et s'offrit à m'indiquer la page marquant le début de l'office. Je le laissai faire, troublé par la sollicitude que me témoignaient tant de personnes que je n'avais jamais vues auparavant. L'homme devait avoir une quarantaine d'années ; il était brun, mince, vêtu d'un costume gris et d'une chemise blanche, col ouvert, mélange improbable de John Turturro et de Christophe Willem, une kippa sur la tête. Je venais de rencontrer Yohan.

La prière commença. J'avais du mal à suivre, malgré ma lecture assidue de *L'Hébreu pour les Nuls* ! Puis vint le moment de la récitation du Kaddish. C'est M. Toledano, assis juste derrière moi, qui me donna une tape sur l'épaule en me soufflant : « C'est à vous... Allez-y ! » Et je me retrouvai debout, livré à l'assemblée m'observant avec intérêt, aux côtés du père orphelin de son fils, pour psalmodier la prière des morts. Prévoyant l'épreuve, je m'étais entraîné, à la maison, à dire et redire ces mots qui ne signifiaient rien pour moi et que je devais scander à présent la voix haute et claire. L'araméen se bousculait dans ma bouche, des cascades de consonnes se déversaient de ma gorge à un rythme effréné, tel un train lancé à toute vitesse et que plus personne ne contrôle. Mais je tenais bon et m'accrochais au petit papier plastifié qu'un rabbin compatissant m'avait offert au cimetière, lors des obsèques de ma mère. Lorsque j'arrivai au bout de ma prière, des dizaines de sourires d'encouragement me raccompagnèrent à ma place. Mes voisins m'accueillirent chaleureusement avec le regard de ceux qui vous acceptent dans leur communauté.

« C'était super ! Tu t'en es très bien sorti, me glissa Yohan en me tutoyant, affichant d'emblée une sorte de connivence entre nous. Respire bien maintenant et prépare-toi au prochain Kaddish. Il y en a deux autres avant la fin de la prière... »

Je manquai de défaillir devant la promesse de deux nouveaux Everest à escalader. Je tremblais, mais j'avais réussi ma première épreuve, mon premier rite d'initiation. Oserai-je l'avouer ? Au bout d'une semaine, je psalmodiais la prière tel un grand prêtre de Babylone, fier de mes progrès, récitant l'araméen comme si j'avais fait cela toute ma vie.

Les jours passèrent, les prières se succédèrent au rythme du Kaddish, Yohan et moi faisions peu à peu connaissance. Dès notre rencontre, m'avouerait-il plus tard, il m'avait reconnu, mais sans rien laisser paraître, adepte du programme de reportages que j'avais animé à la télévision. Dès le début, il n'avait pas pu s'empêcher de penser que mon irruption dans *sa* synagogue, mon choix aléatoire de m'asseoir à côté de *sa* place n'étaient pas fortuits. Enfin, un vendredi soir, après un chant magnifique célébrant le début du Shabbat, il osa se lancer :

« J'ai quelque chose qui devrait t'intéresser. Un projet de dingue… Tu es journaliste, quelqu'un qui sait écrire et raconter des histoires. Je sais que tu as de la rigueur. Bref, tout ce qu'il me manque ! Moi, j'ai le reste : la connaissance, un travail de plusieurs années sur le sujet, les interlocuteurs… Si tu es d'accord, je t'envoie mon projet. Et s'il t'intéresse on peut envisager une collaboration. Je te fournirai au fur et à mesure des informations qui te permettront d'avancer dans l'enquête. Mais tu vas devoir tout reprendre de zéro. Ce que j'ai découvert, je veux que tu y arrives tout seul, avec les méthodes qui sont les tiennes. Je saurai à ce moment-là si je ne me suis pas trompé. »

Il me raconterait plus tard qu'il avait travaillé sur ce projet pendant quatre ans, nuit et jour, assailli de cauchemars lorsqu'il parvenait à s'assoupir quelques instants, dépensant une énergie folle à convaincre ses interlocuteurs de l'importance de sa découverte, grappillant ici et là des fonds pour lui permettre d'avancer, sous la forme de dons de particuliers qui voulaient participer, eux aussi, à sa recherche. Il avait même lancé une souscription sur Internet afin de produire lui-même un film, un documentaire, une vidéo qu'il espérait placer auprès des chaînes de télévision. On le regardait comme un original, un illuminé, et on le raccompagnait vers la sortie avec un sourire de commisération aux coins des lèvres. Peu à peu, il en était arrivé à délaisser son travail dans la production audiovisuelle ; une descente aux enfers rythmée par sa quête de la vérité et qui devait le conduire au chômage, à l'endettement et à la solitude. Même au sein de la communauté juive, il n'était pas le bienvenu : les religieux le trouvaient trop libéral et les agnostiques le jugeaient trop orthodoxe. Il m'avouerait également que, quelques jours avant de me rencontrer, il avait rangé son projet dans un tiroir dont il n'espérait pas le sortir de sitôt.

« En fait, me confia-t-il en plantant ses yeux dans les miens, dès le début, lorsque je t'ai vu assis à côté de moi, j'ai su que tu étais celui que j'attendais... »

Le projet, je l'avais maintenant devant moi. Ou plutôt une partie du projet – les autres pièces arriveraient, m'avait promis Yohan, au fur et à mesure du déroulement de l'enquête : quelques photos en noir et blanc, des photocopies de textes anciens, des ordonnances allemandes datant de la Seconde Guerre mondiale et un épais classeur renfermant des extraits d'interviews. Une brochure en papier glacé accompagnait les documents. À l'intérieur, un devis portant sur la réalisation d'un documentaire et, en accroche, une série de questions : « Pourquoi l'un des condamnés du procès de Nuremberg, Julius Streicher, lance-t-il avant d'être exécuté : "Pourim 1946" ? Que signifient ces paroles ? Existe-t-il un lien entre ces mots et un texte datant de près de deux mille ans, le rouleau d'Esther ? Quels autres mystères cache ce procès ? Cette enquête sur la prophétie la plus troublante du xxe siècle va tenter d'y répondre. » Pas un mot de plus, mais une promesse suffisante pour exciter ma curiosité. Une recherche rapide sur Internet acheva de me persuader : ma décision était prise.

C'est le début de l'histoire. Une histoire qui remonte à la nuit des temps, et où la Shoah percute des écrits issus de la Bible. Une enquête qui allait s'étaler sur plusieurs mois, nous ballotter dans l'espace et dans le temps, du royaume d'Assuérus, en 300 avant notre ère, à l'atmosphère glacée des banques suisses. Une quête, enfin, sur le sens du divin et la part du hasard dans l'enchaînement des événements historiques…

Et vous, vous croyez au hasard ?

L'aventure commence à Nuremberg.

Nuremberg

« Tu n'as pas choisi la meilleure période de l'année pour aller à Nuremberg… »

Yohan conduit vite. Il a tenu à m'accompagner à l'aéroport. Paris resplendit sous le soleil insolent de cette fin novembre.

« Il fait froid… La nuit tombe très tôt… Avec un peu de chance, si tu fermes les yeux, tu entendras même les aboiements des chiens », ajoute-t-il dans un gigantesque éclat de rire.

Le temps que sa soudaine hilarité se perde alors que nous laissons sur notre droite le Stade de France, et il redevient grave.

« De toute façon, tu n'as pas le choix. C'est là-bas que tout finit… ou que tout commence. Tu décideras par toi-même. Si tu veux comprendre quelque chose à cette histoire, il faut que tu te rendes seul à Nuremberg. »

Je n'aimais pas ces phrases sibyllines qu'il employait volontiers ces derniers jours. Mais il ne me laissait pas d'alternative : je devais partir, sentir la ville, m'imprégner de son ambiance et accomplir deux « missions » – j'utilise ce mot mais je ne suis pas certain qu'il soit tout à fait juste. Je devais me rendre au Zeppelin, monter à la tribune où paradait Hitler devant des centaines de milliers de personnes à l'époque de sa toute-puissance et rester là dix bonnes minutes, « le temps qu'il se

27

passe quelque chose en toi… C'est obligatoire que tu ressentes quelque chose. Comme une présence palpable… Tu verras, c'est terrifiant ». Et puis je devais me focaliser sur l'exécution de l'un des condamnés à mort du fameux procès de Nuremberg : un certain Julius Streicher.

J'avais accepté le défi. Par jeu mais aussi parce que j'avais été piqué au vif : je savais que Yohan me testait, qu'il mettait à l'épreuve ma confiance et ma capacité à m'embarquer dans un monde inconnu qu'il m'avait à peine dévoilé. Il voulait savoir jusqu'où j'étais prêt à aller, moi le cartésien, adepte de la rigueur, peu enclin à admettre des interprétations religieuses ou mystiques pour expliquer un événement. Il désirait confronter sa vision divine avec le pragmatisme têtu de ma formation journalistique, dans le secret espoir que mes conclusions rejoindraient les siennes. Et je m'étais promis d'utiliser toutes les armes de l'enquête et de l'investigation pour contrer… ou corroborer ses découvertes. Pour aiguiser ma curiosité, il avait laissé tomber quelques informations, en particulier la façon dont cette histoire était parvenue jusqu'à lui, comment il l'avait prise à bras-le-corps et la manière dont il avait commencé ses recherches.

C'était cinq ou six ans plus tôt, il ne savait plus très bien. Des amis l'avaient invité à une pendaison de crémaillère, l'occasion de faire la fête mais surtout, dans les foyers juifs traditionnels, de procéder à une bénédiction de l'appartement. En général, sur le côté droit de la porte, on a coutume d'apposer une *mezouzah*, un petit rouleau en acier à l'intérieur duquel on a glissé une prière censée protéger les habitants du lieu. C'est un rabbin qui est chargé d'animer l'office, de féliciter les nouveaux propriétaires et de leur souhaiter longue vie et prospérité dans leur foyer. Mais, ce jour-là, le Rav Bloch, c'était son nom, ne s'arrêta pas aux compliments d'usage : sitôt la *mezouzah* posée, il entama un véritable cours sur les prophéties de la Torah, et en particulier sur celle d'Esther.

« J'étais abasourdi, me raconta Yohan. Je ne parvenais pas à croire ce que je venais d'entendre. Je me souviens que, sur le moment, je me suis dit : "Il exagère, c'est n'importe quoi ! Cette histoire ne tient pas debout !" »

Il se décida à aller parler au rabbin une fois son prêche terminé. Il lui demanda d'où il tenait toutes ces informations, et d'abord s'il avait vérifié ce qu'il venait d'avancer. Le Rav Bloch lui sourit et lui répondit que non, il n'avait pas vérifié, mais qu'il avait de bonnes raisons de croire que ce qu'il avait dit pouvait être démontré.

« Je peux enquêter ? Vous pourriez m'aider si je décidais de travailler sur cette prophétie ?

— Je ne vous connais pas assez... Laissez-moi réfléchir. »

Mû par sa seule intuition, Yohan jeta toutes ses forces dans la bataille. Il dit au Rav qu'il travaillait dans une maison de production, dans l'audiovisuel, qu'il était prêt à mettre son savoir-faire au service de sa parole, qu'il le ferait bénévolement... si celui-ci acceptait de lui en dire un peu plus.

Trois jours plus tard, le Rav Bloch le rappela. Il préparait son gala afin de récolter des fonds pour sa *yeshivah*, son centre d'études talmudiques. Il avait besoin d'un film expliquant le travail de Yohan et ses objectifs. Yohan n'hésita pas une seconde. Il se lança dans la réalisation du reportage en y mettant tout ce qu'il avait appris à l'école de la télévision : des interviews soignées, un montage rythmé, des musiques adéquates, un commentaire très clair... Son travail plut tellement qu'on lui commanda un deuxième reportage, puis un troisième, dans lesquels il mit tout son talent. Et puisqu'il excellait dans ce domaine, autant qu'il prenne en main toute l'organisation du gala de charité.

Le succès fut absolu. On se pressait pour féliciter le rabbin, louant l'intelligence et le déroulement de la cérémonie. D'autres directeurs de *yeshivot* voulaient la même chose pour leur fête annuelle : les mêmes films, les mêmes musiques, les mêmes témoignages. Yohan, le triomphe modeste, attendait dans son coin. Le Rav Bloch ne tarda pas à le rejoindre.

« Tu m'as prouvé que je pouvais te faire confiance. Et au-delà de toutes mes espérances. À présent, je peux te parler et te raconter. Mais tout reste à faire... Je te donne des pistes. À toi d'enquêter, de recouper, de gratter, de confronter les idées. Cependant je t'avertis : le chemin que tu t'apprêtes à emprunter est semé d'embûches. Rien ne te sera épargné. Mais une vérité lumineuse est au bout de ta route. »

« C'est ainsi, avait conclu Yohan, que ma vie a basculé. »

Lorsque l'avion se pose sur la piste, la nuit est tombée depuis longtemps sur Nuremberg. Les annonces en allemand ne parviennent pas à toucher la plus petite parcelle de mon esprit – je n'ai aucune notion de la langue de Goethe, et c'est un employé de l'aéroport à la peau mate et aux yeux noirs qui, dans un sabir turco-germano-anglais, m'explique comment rejoindre mon hôtel. À peine arrivé, je me demande déjà ce que je suis venu faire ici.

Pas pour longtemps. Axel, mon ami allemand qui a organisé mon voyage dans ses moindres détails, avait prévu la question. « Tu ne dois pas rester dans ta chambre d'hôtel à tourner en rond. Rien de tel pour déprimer ! Tu vas à Nuremberg pour rencontrer des gens et découvrir des lieux chargés d'histoire... Tu vas en voir, fais-moi confiance ! » Il avait donc fait en sorte que je n'aie pas une seule minute libre en multipliant les rendez-vous aux quatre coins de la ville.

Le temps de prendre une douche et je suis déjà dans un taxi filant sur des avenues désertes où, çà et là, les décorations de Noël jettent des notes de couleur dans la nuit. Deuxième ville de Bavière, après Munich, Nuremberg regorge de magasins chics où se nichent parfois, entre deux enseignes prestigieuses, des fast-foods turcs qui sentent bon le *chawarma*, la viande rôtie tournant devant un gril. Peu de monde dans les rues, surtout pour un samedi soir, généralement propice à la fête et aux sorties entre amis, mais je me garde bien d'émettre le moindre commentaire critique sur une ville où je viens tout juste de poser les pieds.

Arno Hamburger m'accueille dans son bureau du Centre culturel juif, dont il est le président, et m'invite à passer dans une grande salle où nous attendent du thé et du café accompagnés de petits gâteaux préparés à notre intention. Il s'excuse de sa condition physique un peu déficiente – il s'est déboîté l'épaule et souffre d'un gros rhume –, mais il m'explique qu'il tenait absolument à me rencontrer, moi, journaliste français venant enquêter sur sa ville natale et sur une période qu'il connaît bien. Tout cela formulé avec un accent britannique digne de Cambridge, dont je ne vais pas tarder à avoir l'explication.

« J'ai eu de la chance, me dit-il en préambule. Je n'étais pas là lorsque les nazis ont commencé à se déchaîner. Le 22 août 1939, je suis parti pour la Palestine, poussé par un idéal sioniste qui agitait toute la jeunesse juive à mon époque. Aussi, lorsque la guerre a éclaté et qu'il est devenu clair qu'elle allait durer, ai-je immédiatement voulu me battre. Mais aux côtés de qui ? Par un coup de pouce du destin, j'ai trouvé grâce aux yeux de la puissance contre laquelle je luttais en Palestine : la Grande-Bretagne. J'ai été incorporé en 1941 dans les rangs de la British Army, et la fin de la guerre m'a trouvé à Spolète, en Italie, en avril 1945. »

Il est époustouflant, M. Hamburger ! Petit mais alerte et vif malgré ses 88 ans, il jongle avec les chiffres, les années et les mois sans jamais se tromper. Il n'expose que des faits, sans encombrer son propos de commentaires ou du moindre attendrissement sur un passé douloureux. Peut-être est-ce un discours qu'il a souvent servi à ses interlocuteurs, au point de le connaître par cœur et de passer de Nuremberg à l'Italie, sans oublier la parenthèse palestinienne, d'un pas si sûr. L'effet est garanti, et, au vu de son âge, cet homme force le respect.

« C'est à ce moment-là que j'ai voulu revenir à Nuremberg. Pour savoir ce qu'étaient devenus mes parents.

— Vous imaginiez le pire alors ?

— Je n'imaginais rien, me répond-il sans émotion, un peu agacé par ma question. Je ne savais pas... C'est tout ! Et je voulais savoir... »

Une pause. Un silence long comme une guerre et il reprend :

« Ils étaient vivants ! C'était un vrai miracle ! Mon père et ma mère avaient traversé la guerre sans mourir ! Je n'en revenais pas... Tout le reste de ma famille avait été assassiné par les nazis, à Izbika, un camp de transit en Pologne où l'on parquait les Juifs le temps de faire de la place à Treblinka, qui était sans cesse surchargé, à Sobibor... Ils étaient tous morts. Sauf mon père et ma mère.

— Comment étaient-ils parvenus à s'en sortir ?

— Comme toujours dans ce genre de miracle : par une négligence de la bureaucratie. Mon père avait été réquisitionné au début de la guerre comme travailleur "volontaire". Il a construit avec des milliers d'autres les routes du Reich, les chemins de fer du Reich, les infrastructures du Reich... et on l'a oublié ! Ils faisaient partie de ces esclaves que l'on faisait travailler le jour et la nuit contre un salaire de misère et un bol de soupe claire. Sauf que lui, il était juif ! On l'a oublié... Un miracle, je vous dis !

— Et votre mère ?

— Elle était restée toutes ces années à l'attendre à la maison, terrorisée, luttant comme elle le pouvait contre le manque de nourriture... Ils étaient vivants mais totalement détruits sur les plans physique et psychologique. C'est leur état de santé qui m'a décidé : je n'allais pas retourner en Palestine. Mes parents avaient besoin de moi. J'allais m'occuper d'eux.

— Quand vous dites "détruits"... qu'est-ce que vous entendez par là ?

— Mes parents n'ont plus jamais été les mêmes. Mon père était extrêmement faible, physiquement. Je n'ai jamais compris comment il avait réussi à tenir. On ne leur donnait rien ou presque à manger et il était obligé de travailler comme un forcené : manier la pioche, casser des pierres, marcher sous la pluie et dans la neige, sans un seul jour de repos... Je ne sais pas où il a puisé ses forces pour résister. Il ressemblait aux squelettes que le monde entier allait découvrir avec l'ouverture des camps de concentration. Mais il était vivant !

— Et votre mère ?

— Sur le plan physique, elle ne valait guère mieux. Mais le plus grave, c'était son état psychique. »

Une deuxième pause. Pas question que je le relance : s'il veut m'en dire plus, c'est lui qui le décidera. Il faut aussi savoir respecter les silences dans les interviews. Surtout s'ils sont longs.

« En fait, finit-il par reprendre, elle avait peur. Elle avait peur de tout. Tout le temps. Le moindre bruit la faisait sursauter, et il n'était pas rare qu'elle cherche alors à se cacher dans la maison. Elle avait peur que quelqu'un n'entre chez elle, qu'une horde de nazis ne débarque, casse tout et la tue à mains nues. Elle avait peur lorsque quelqu'un frappait à la porte, lorsqu'elle entendait quelqu'un courir dans la rue. Elle vivait dans un état de terreur constante. »

Arno Hamburger se sert du thé et le boit doucement, les yeux fixés sur la nappe blanche qui recouvre la table. Ses épaules se sont un peu voûtées, ses gestes se sont ralentis. Je m'en veux d'avoir fait resurgir un passé qu'il s'efforce non pas d'oublier mais de maîtriser, pour tenter de vivre avec.

Je rassemble mes affaires et je vais essayer de prendre congé de mon hôte en toute discrétion. Pourtant, au moment de partir, je lance une dernière question sans conviction, plus pour changer de sujet et dissiper les brouillards de la mémoire que dans l'attente d'une véritable réponse :

« Et Julius Streicher... Nuremberg était son fief, sa région... Qu'est-ce que vous pensez de lui ? »

Mon interlocuteur lève lentement les yeux vers moi. Je vois son visage se durcir et sa bouche se tordre un court instant, avant de revenir à une expression plus douce.

« Streicher ? Ce n'était pas un être humain. Je me souviens très bien de lui... C'était au début des années 1930, j'étais un jeune garçon d'une dizaine d'années à l'époque... Il organisait ces énormes démonstrations de nazis dans Nuremberg. Il fallait le voir parader parmi ses troupes, il se sentait omnipotent, se prenait pour le roi du monde. Abject, sale, dégoûtant ! Il crachait ses injures sur les Juifs, encouragé par les vivats de ses partisans. Ce n'était pas un homme. C'était une bête immonde. C'est simple : vous savez que dans la religion juive, dans le Livre d'Esther, il y a ce fameux Premier ministre d'Assuérus, Aman, qui est considéré comme le plus grand ennemi du peuple juif. Eh bien, je peux vous dire que, à côté de Streicher, Aman était un ami de l'humanité. Ma mère en avait très peur. »

Rentré à l'hôtel, je remets en ordre toutes mes notes ; et ce soir, oui Yohan, j'ai senti les chiens se rapprocher...

Je n'imaginais pas une seule seconde qu'il puisse faire soleil sur Nuremberg. La météo me donne raison : en ce dimanche matin, le temps est gris et froid, peu propice aux sorties. Voilà qui explique peut-être les rues désertes où résonne à intervalles réguliers le carillon des églises. Pourtant, je suis sûr que le printemps bavarois doit être d'une douceur incomparable, que les arbres doivent alors se couvrir de bourgeons vert tendre et qu'ici comme ailleurs les parcs doivent retentir de cris d'enfants heureux de pouvoir jouer au grand air. C'est en tout cas l'idée que je me fais de Nuremberg en avril ou en mai – encore que, pour être tout à fait sincère, j'avoue avoir du mal à imaginer Nuremberg autrement qu'en noir et blanc tant son passé nazi colle encore à la peau de cette ville. J'ai tort, je le sais, mais, malgré tous mes efforts, je ne parviens pas à me débarrasser de ces images et bandes d'actualité qui ont fait de cette ville de Bavière l'un des pires cauchemars de l'humanité. J'essaie pour l'heure de me concentrer sur la moindre tache de couleur que je parviens à accrocher à travers les vitres de l'autobus 36 me conduisant au Centre de documentation. Et c'est proba-blement mieux ainsi : quelle tournure prendrait une enquête sur le procès de Nuremberg sous un soleil accablant et une température étouffante ? Non, tout compte fait, je garde le ciel menaçant, les nappes de brouillard et la pluie glacée qui tombe désormais : je n'aurai pas à forcer mon imagination dans l'évocation de l'horreur.

Il y a de plus en plus de bois et de forêts. On sort de la ville et on s'enfonce dans la campagne. Les barres d'immeubles gris s'effacent devant des maisons individuelles, cossues, respirant l'aisance : la bourgeoisie de Nuremberg a investi les terres où Hitler et son architecte, Albert Speer, ont laissé libre cours à leurs rêves les plus mégalomaniaques.

Située au centre de l'Allemagne, Nuremberg disposait alors de très bonnes infrastructures, en particulier d'un remarquable réseau de chemins de fer qui permettait à des milliers d'Alle-mands de rejoindre la ville lors des congrès du Parti national-socialiste. Mais Nuremberg possédait deux autres atouts qui la différenciaient de toutes les autres cités allemandes : avec ses maisons gothiques, ses églises, son château fort, sa vieille ville et ses murailles, elle symbolisait aux yeux du Führer la quintessence de l'âme allemande. C'est donc tout naturellement à Nuremberg que seront promulguées les fameuses lois antisémites de 1935, la ville devenant ainsi la capitale idéologique du IIIe Reich. Et puis c'était le fief du plus ardent partisan de Hitler, l'homme de la propagande : Julius Streicher. Celui-ci dirigeait le journal le plus antisémite du pays, *Der Stürmer* (« le combattant »), qui déversait chaque jour des torrents d'ignominies sur les Juifs allemands.

Il bénéficiait, en outre, de complicités dans la police. L'affaire était entendue, et, dès 1933, chaque année jusqu'au déclenchement de la guerre, plus d'un million de personnes se pressèrent dans les rues de Nuremberg pour célébrer le congrès du Parti national-socialiste. Ces rassemblements duraient une semaine ; ils étaient émaillés de rites particuliers exaltant une seule communauté raciale – celle de la race aryenne –, avec une mise en scène grandiose censée amener chaque individu à s'effacer au profit d'une masse dirigée par un seul homme : Adolf Hitler. En réalité, l'objectif non avoué de ces congrès était tout simplement de préparer le pays à la guerre.

Mais il fallait un lieu à la hauteur de cette ambition. Très vite, le choix se porta sur un immense espace vert de 11 km^2 comportant un lac et un zoo, situé à la périphérie de la ville. On déménagea à la hâte ours polaires, lions et girafes, et les travaux commencèrent sous la direction d'Albert Speer, architecte et futur ministre de l'Armement. Ils ne furent jamais terminés. Ce qu'il en reste aujourd'hui est, malgré tout, proprement stupéfiant.

La pluie s'est légèrement calmée lorsque je sors de l'autobus. Il est 10 heures du matin et le Centre de documentation, créé en 2001, vient tout juste d'ouvrir ses portes. S'appuyant sur l'aile nord du Colisée, que l'on ne voit pas, une construction plus moderne, tel un pont suspendu, a été ajoutée pour former un « musée de la Barbarie nazie ». Nous ne serons qu'une poignée de visiteurs à arpenter les salles de la remarquable exposition permanente « Fascination et terreur », véritable descente aux enfers de la période nazie ayant pour cadre Nuremberg. Photos, films, objets, il ne manque rien sur ce gouffre de l'histoire vieux de seulement 70 ans. Je viens d'assister, tétanisé, à l'un des discours que Hitler a tenus devant des centaines de milliers de personnes hystériques filmées par Leni Riefenstahl, lorsque, au bout de la salle, j'aperçois une fenêtre. J'éprouve un tel sentiment d'étouffement que la lumière du jour me rassure et m'attire. Tout, même une lumière grise tombant d'un ciel plombé, plutôt que ces images animées en noir et blanc qui hypnotisent et angoissent. Si ce n'est que le spectacle qui s'offre à présent à moi, derrière la vitre, est encore plus déstabilisant : le Colisée, le rêve germano-romain du Führer, dresse sa façade de briques et de granit, d'énormes blocs de pierre taillés par les détenus du camp de concentration de Flossenbürg. Imaginez un amphithéâtre de 250 mètres de diamètre en fer à cheval, haut de 39 mètres (s'il avait été terminé, il en aurait mesuré 70), destiné à devenir le palais des congrès du parti, avec une capacité de 50 000 personnes. Le déclenchement de la guerre en 1939 stoppa les travaux, et aujourd'hui il est là, monstrueux, terrifiant, inutile comme une verrue démesurée dans la campagne bavaroise. On le garde parce qu'on ne sait pas quoi faire de ce témoin d'une époque révolue, avertissement pour les générations futures s'ouvrant devant une étendue d'eau boueuse dont la couleur noirâtre continue de refléter les desseins de ses commanditaires.

Je termine à la hâte la visite de l'exposition. Vite, il me faut de l'air, revenir au monde réel d'aujourd'hui, retrouver la pluie de ce dimanche matin et laisser ces élucubrations cauchemardesques derrière moi. Mais je n'ai pas oublié l'une des missions que m'a assignées Yohan : le stade du Zeppelin.

Je dois contourner le lac et marcher une quinzaine de minutes dans la forêt. J'en avais besoin ! Je remplis d'air mes poumons, retrouvant avec délices le froid de cette fin novembre, qui m'aide à dissiper la présence écrasante de la masse rouge brique que je laisse sur ma droite. Quelques joggers courageux croisent de rares promeneurs chaudement équipés qui tiennent en laisse leur chien trop heureux de s'ébrouer parmi les feuilles mortes bordant le lac. Au passage, j'aperçois la fameuse Grand-Rue, longue de 2 kilomètres et large de 60 mètres, qui devait relier les différents bâtiments entre eux et servir pour les défilés de la Wehrmacht. Elle est utilisée aujourd'hui, clin d'œil de l'histoire, comme parking pour le Centre de documentation.

J'approche déjà du stade…

La première impression déçoit : quelques gradins en pierre blanche, une tribune de 360 mètres – j'ai lu quelque part qu'elle s'inspirait d'un bâtiment antique : le Grand Autel de Pergame – et un petit balcon en avancée… C'est à peu près tout ce qu'il reste du stade aujourd'hui. Pourtant, c'est ici qu'au temps de sa splendeur Hitler organisait des rassemblements de 300 000 personnes littéralement électrisées par ses discours. Elles hurlaient leur attachement indéfectible au Reich au rythme des tambours de la Wehrmacht et du claquement des immenses drapeaux rouge et noir ornés du svastika. Mais c'est la nuit que le lieu devenait magique : alors qu'au sol les retraites aux flambeaux à la chorégraphie impeccable animaient le stade, 150 projecteurs de DCA lançaient leurs rayons à 8 000 mètres dans le ciel, illuminant le Zeppelin telle une « cathédrale de lumière », selon le mot d'Albert Speer. Pour la petite histoire, Göring ne voulait pas se défaire de ces projecteurs de DCA, estimant qu'il n'en aurait pas assez pour couvrir tout le territoire allemand le jour où la guerre éclaterait. Hitler lui conseilla d'accepter : « Ainsi, lui dit-il, le monde entier pensera que nous en possédons des milliers. »

Je gravis à présent les gradins, rendus glissants par la pluie. Çà et là, des graffitis et des cœurs gravés dans la pierre dont je doute qu'ils datent de la période hitlérienne. Et me voici enfin au balcon d'où Hitler lançait ses diatribes au monde entier, à son tour galvanisé par la foule en contrebas. Je m'approche doucement, prenant appui sur la balustrade, tous les sens aux aguets. La forêt bleutée encadre l'horizon et trace les limites d'un terrain de football entouré de friches à l'endroit où se tenait la foule. C'est immense, gris et désespérément banal. Je fais le vide en moi, essayant de percevoir les échos du passé, et je ferme les yeux. Quelques secondes, une minute peut-être et... rien! Yohan m'a dit que je devais rester dix bonnes minutes pour espérer déclencher une vague de sensations. Mais il n'avait pas prévu la pluie qui traverse mes vêtements, une pluie fine et glacée qui coule le long de mon cou et s'infiltre dans mon dos. Allez, un effort, je ne vais pas abandonner si facilement; mais ce serait tout de même idiot d'attraper une pneumonie juste pour se laisser envahir de dégoût et d'effroi à l'égard d'un individu qui haranguait les foules dans les années 1930 à la tribune du Zeppelin! L'eau, le long de ma colonne vertébrale, m'empêche de me concentrer, mais je tiens bon en m'accrochant au balcon. J'ai les mains gelées et je commence à frissonner. Tant pis, j'ouvre les yeux! Aucun souffle maléfique, aucun fantôme. La magie noire n'a pas opéré, et, pour dire la vérité, je n'en suis pas mécontent. Mon « capital épouvante » a été largement entamé depuis ce matin.

C'est en quittant la tribune que je tombe sur une bande de jeunes Allemands qui traînent nonchalamment, malgré la pluie, sur les gradins. Avec leurs jeans et leurs anoraks à capuche, dont on ne sait s'ils les portent pour se protéger de l'eau qui tombe ou pour être tendance, ces adolescents ressemblent trait pour trait aux jeunes de Paris, de Londres ou de Madrid. Bizarrement, cette similitude me rassure et m'engage à entamer une conversation avec eux, après m'être assuré qu'ils parlent tous anglais...

« Vous venez souvent ici?

— Oui... C'est cool, me répond l'un d'eux, dont j'ai du mal à voir le visage. Y a personne qui nous dérange!

— Mais vous savez où nous nous trouvons...

— Ben évidemment! me lance un autre. C'est ici que j'ai vu l'été dernier le meilleur concert de rock de toute ma vie!»

J'avais oublié ! Depuis une quinzaine d'années, le stade du Zeppelin se transforme en été en gigantesque salle de concert ou en piste pour courses de voitures.

« Pas du tout, renchérit un autre. Le meilleur concert, c'était en 2009 avec ce groupe génial... Rappelle-toi... »

Ils sont tous à présent à se disputer pour savoir quel était le meilleur concert auquel ils aient assisté ici, et d'après ce que je peux comprendre c'est le heavy metal qui tient la corde ! Je décide quand même de les relancer sur l'objet de mes recherches.

« Mais vous savez ce que c'était *avant*... Avant les concerts de rock...

— Ouais... Y avait un type un peu nain, avec une drôle de moustache, qui se faisait acclamer par ses potes ! »

La réflexion déclenche une hilarité générale où fusent des mots en allemand que je ne comprends pas.

« Vous parlez d'Adolf Hitler, n'est-ce pas ?

— Bon, tu vas pas nous prendre la tête avec ce type... »

C'est terriblement agaçant de ne pas voir leurs visages... J'insiste :

« Mais c'était il y a seulement soixante-dix ans...

— Ouais, c'est ce qu'on dit... Du temps de la préhistoire !

— Mais c'étaient des Allemands... Comme vous...

— Oui, des Allemands... Des hommes des cavernes allemands du temps de la préhistoire ! »

À nouveau, les rires sous les capuches. Et puis il y en a un qui se lève et me fait face en retirant la sienne. Il a les yeux bleus et les joues roses, un visage d'enfant.

« Ne nous prenez pas pour des abrutis, monsieur ! On sait très bien ce qui s'est passé ici ! On nous en rebat les oreilles à l'école... C'est horrible ! Mais c'est une histoire terminée, morte, qui ne signifie plus rien pour nous ! Voilà pourquoi nous avons décidé que le Zeppelin était la meilleure salle de concerts rock... et rien d'autre ! »

Applaudissements nourris de la part de ses camarades et le jeune homme se rassoit, un léger sourire de fierté aux lèvres.

Je n'avais rien ressenti à la tribune tout à l'heure, mais de toute évidence je ne suis pas tout seul dans ce cas. Par-delà la provocation et le refus feint du devoir de mémoire, cette génération du « Hitler, connais pas » me redonnait confiance en l'humanité, après une matinée en enfer.

Je suis épuisé. La pluie ne faiblit pas et je n'ai pas le courage de reprendre l'autobus pour rentrer à l'hôtel. Je rêve d'une bonne douche chaude qui réchauffera mes os glacés par l'épisode de la tribune. Au moment où, débouchant de la forêt, j'arrive sur la route principale, un taxi se présente. Je n'hésite pas et lui fais signe de s'arrêter : je viens de gagner une bonne demi-heure de repos en délaissant le bus 36 au profit de cette Mercedes...

Le chauffeur se débrouille en anglais – ça m'arrange. Il me semble assez petit, âgé d'une cinquantaine d'années ; il a les cheveux bruns, une fine moustache et un visage bienveillant. Je ne tarde pas à deviner derrière son accent un fils du Bosphore et de la Corne d'Or.

« Vous êtes turc ?

— Comment vous l'avez deviné ? J'ai à peine ouvert la bouche ! répond-il en souriant. Et vous... Vous êtes...

— Français !

— Ah, je suis content ! J'aime bien les Français ! Votre président, un peu moins...

— Ah bon, vous n'aimez pas Nicolas Sarkozy ? Pour quelles raisons ?

— Sa position sur les Arméniens... Et qu'est-ce qui vous amène à Nuremberg ? Des vacances ?

— Vous pensez que c'est une ville où on peut venir en vacances fin novembre ? »

Son rire explose dans l'habitable du véhicule. Mais il a décidé de ne pas me laisser le monopole de l'humour.

« Parce que vous pensez que c'est une ville où on peut passer trente ans de sa vie ? me répond-il.

— Vous êtes ici depuis trente ans ?

— Bon, j'exagère... Les vingt premières années ont été merveilleuses. On gagnait bien sa vie, les gens étaient gentils avec nous, et quand il fait soleil la ville est vraiment agréable ! »

Il avait tout juste 20 ans lorsqu'il avait débarqué à Nuremberg. Un oncle y était déjà installé et l'avait encouragé à quitter la Turquie pour profiter de la situation économique d'alors et du plein-emploi. Très vite, il avait été engagé dans une entreprise de bureautique : horaires réguliers, avantages sociaux et salaire en marks. Si l'Allemagne n'était pas le paradis, elle lui ressemblait. Chaque été, il prenait ses vacances en Turquie, où il dépensait sans compter, jouant volontiers à l'enfant prodigue avec toute sa famille. C'est là-bas qu'il avait rencontré celle qui devait devenir sa femme. Ils s'étaient installés dans la banlieue de Nuremberg et deux enfants, une fille et un garçon, étaient venus parachever sa réussite sociale. Même les difficultés de la réunification n'avaient pas réussi à entamer son sentiment de bonheur.

« Et puis l'euro est arrivé et tout a commencé à changer. Les prix ont flambé, on s'est mis à nous regarder avec crainte et méfiance. Et en dix ans notre situation s'est complètement transformée ! Aujourd'hui, c'est la crise ici aussi, comme partout en Europe, peut-être un peu moins que chez vous, en France... Tous les jours, il y a des entreprises qui ferment leurs portes pour aller s'installer en Chine. Si vous aviez le temps, je vous conduirais dans la banlieue industrielle de Nuremberg et vous verriez... Il ne faut pas croire tout ce que vous dit Angela Merkel...

— Et le racisme ?

— Ça n'a jamais été aussi catastrophique ! Vous avez vu qu'ils viennent d'arrêter un gang d'extrême-droite qui depuis dix ans assassinait des immigrés ? Dix ans sans être jamais inquiétés ! Ils étaient trois, deux hommes et une femme, et ils tuaient des gens simplement parce qu'ils n'étaient pas allemands ! »

On a laissé derrière nous la forêt et ses fantômes, et, au vu du flot de voitures et des passants sur les trottoirs, on sent que l'on se rapproche à présent du centre-ville. Au bout de l'avenue, je reconnais la place Plärrer, qui jouxte mon hôtel. Mais mon chauffeur ne tient pas à me laisser sur une note triste.

« Vous connaissez la dernière blague qu'on se raconte ici ? C'est Angela Merkel qui discute avec le ministre de l'Intérieur. Un fonctionnaire entre dans le bureau et leur demande ce qu'ils font. "Nous sommes en train de mettre au point un plan pour nous débarrasser de tous les Turcs d'Allemagne et d'un dentiste", répond le ministre. "Un dentiste ? Pourquoi un dentiste ?" rétorque le fonctionnaire. Angela Merkel donne alors un coup de coude à son ministre et lui dit : "Je t'avais bien dit que personne ne dirait rien sur les Turcs !" »

Le rire tonitruant de mon chauffeur résonne encore dans mes oreilles lorsque j'entre enfin sous ma douche.

« Quel est le principal critère d'évaluation du développement d'une ville ? Son réseau terrestre de communications. » Si la phrase d'un ancien ministre de la République recèle une part de vérité, alors Nuremberg est dans le peloton de tête des villes allemandes les plus développées. Larges avenues, à six voies et plus, bordées d'immeubles un peu trop fonctionnels, vastes places accueillant tram, autobus et métro : le réseau ceinture parfaitement tous les quartiers en préservant la vieille ville, entièrement rebâtie, avec ses maisons gothiques et ses ruelles pavées, dominée par son château et ses murailles.

Le fonctionnaire de la mairie qui m'accompagne est visiblement fier de sa ville. « Vous n'imaginez pas le travail accompli depuis la fin de la guerre. Nuremberg était à terre en 1945, avec ses maisons en ruine et ses routes défoncées par les bombardements alliés. Mais les Allemands ont su retrousser leurs manches et ont rebâti entièrement celle qui avait été pendant longtemps la "perle de la Bavière". » Il admet volontiers que la cité n'est pas un modèle d'urbanisme, mais il m'explique qu'il fallait faire vite, construire des maisons pour y loger les familles, rétablir les communications avec le reste du pays, sans souci d'esthétique. « C'est l'urgence qui commandait, conclut-il, et non la préoccupation du Beau. Et au vu des conditions, le résultat n'est pas si mal... »

Peut-être ne le sait-il pas, ou feint-il de l'ignorer, mais les premiers « rebâtisseurs » de la ville furent les Américains. En 1945, toutes les puissances alliées tombent d'accord sur l'organisation d'un tribunal chargé de juger les criminels de guerre nazis. Reste à trouver, dans l'Allemagne dévastée, un lieu, une ville pouvant abriter un tel procès. Très vite, le choix des États-Unis se porte sur Nuremberg, pour plusieurs raisons. D'abord, c'est une ville symbole où tout a germé, à commencer par les fameuses lois antisémites de 1935. Par ailleurs, elle se trouve dans la zone contrôlée par les Occidentaux. Enfin et surtout, le palais de justice et la prison, reliés entre eux par un tunnel, ont été miraculeusement épargnés par les bombardements alliés, ainsi que l'hôtel de ville et le Grand Hôtel. Situation exceptionnelle qui aurait fait dire au général soviétique Nikitchenko s'adressant au juge américain Biddle : « J'ai l'impression que les pilotes de vos bombardiers songeaient déjà au procès : ils n'ont épargné que le palais de justice. Vous autres, Américains, vous pensez toujours à tout[1] ! »

---

1. Cité par Annette Wieviorka dans son remarquable *Procès de Nuremberg* (Liana Levi).

Quoi qu'il en soit, sitôt le site de Nuremberg approuvé par les quatre puissances (États-Unis, Grande-Bretagne, France et Union soviétique), les troupes américaines vont transformer un champ de ruines en banlieue de Washington. Elles rétablissent l'électricité, l'eau, le téléphone et les transports publics. Çà et là, on construit des habitations provisoires, on répare les rues où circulent des véhicules militaires sur lesquels flotte la bannière étoilée. On trouve même une résidence pour les journalistes accourus du monde entier : l'invraisemblable demeure du roi du crayon, Faber, mélange improbable des styles mauresque, art déco et rococo.

Le soir, militaires, juges et journalistes se retrouvent au Grand Hôtel pour dîner, boire, rire et danser au-dessus du volcan, minuscule îlot de civilisation au milieu d'un paysage dévasté. Les cuivres de l'orchestre résonnent tard dans la nuit; leurs échos vont mourir à quelques centaines de mètres de là, parmi les gravats et les abris de fortune où s'entassent des familles allemandes. Certains occupants s'en soucient, mais sans s'appesantir : après tout, qui sont les véritables responsables de cette situation ? Ils croupissent à la prison de Nuremberg, attendant de passer en jugement, essayant de comprendre dans leurs insomnies ce qui leur arrive, à eux les anciens maîtres du monde.

Le 20 novembre 1945, enfin, à 10 heures du matin, s'ouvre le procès de Nuremberg. Il durera onze mois.

« Pour la première fois dans l'histoire, on jugeait les responsables de la guerre, ceux qui l'avaient rendue possible. Ils étaient accusés, notion complètement révolutionnaire pour l'époque, de "complot contre la paix". De là allaient découler les "crimes de guerre" et les "crimes contre l'humanité" », m'explique Annette Wieviorka lors d'un entretien. Historienne, elle est une spécialiste du procès de Nuremberg et a consacré sa vie aux recherches sur la Shoah. Les yeux vifs derrière des lunettes rondes, les cheveux courts, un peu frisés, traversés çà et là par quelques filaments de sagesse, elle parle d'une voix rocailleuse, lointain vestige, sans doute, de nuits de travail embrumées par la fumée de cigarette.

« C'est le début de la justice internationale. Le tribunal de La Haye n'existerait pas aujourd'hui sans le précédent de Nuremberg. Alors, bien sûr, tout n'a pas été parfait. Il n'y a eu, par exemple, aucune analyse des conditions qui avaient amené la guerre, aucune critique de la lâcheté des grandes puissances qui ont laissé faire Hitler. Mais ils n'étaient pas là pour ça. Les criminels ont eu droit à un procès en bonne et due forme. C'était déjà un immense progrès lorsque l'on sait que Staline voulait faire fusiller des centaines de milliers d'Allemands !

» Et puis, il y avait aussi quelque chose de très choquant : la position de l'Union soviétique, accusatrice, sans que personne n'osât mentionner le pacte de non-agression signé avec Hitler, l'invasion de la Pologne, le massacre de Katyn... sans parler des camps de concentration qui se multipliaient à l'époque sous l'impulsion de Staline, le Petit Père des peuples...

» Mais ce n'était sans doute ni le lieu ni l'heure pour ce genre de considération... Reste que le procès de Nuremberg constitue une immense avancée dans l'histoire de la justice et d'une manière générale dans l'histoire de la civilisation. »

Et me voici devant le palais de justice de Nuremberg. C'est donc ici que tout s'est déroulé. De l'extérieur, le bâtiment de trois étages est intact, avec ses murs constitués de gros blocs de granit surmontés de longs toits pointus, typiquement bavarois. Il fait face à une cour pavée, bordée de rares arbustes, qui sert aujourd'hui de parking. Quelques visiteurs se pressent déjà devant l'immense portail en bois massif et attendent patiemment d'avoir le privilège de pénétrer dans ce lieu historique. Le temps de récupérer leur audioguide, sorte de téléphone portable émettant en plusieurs langues, et les voilà qui gravissent les escaliers en pierre menant à la salle 600, la salle du tribunal. Près d'un an de débats, 400 audiences, 300 000 déclarations, 1 600 pages de procès-verbaux, 3 000 tonnes de documents, 94 témoins, le tout consigné dans 42 volumes de plus de 700 pages chacun : pour la première fois, les vainqueurs jugeaient les vaincus dans le respect des règles établies par la justice, loin des méthodes expéditives généralement admises jusque-là. Une situation parfaitement résumée par le procureur général américain, Robert H. Jackson, lors de son discours d'ouverture : « Que quatre grandes nations, auréolées de la victoire et blessées dans leur chair, retiennent le bras de la Vengeance et soumettent leurs ennemis prisonniers au jugement de la loi est l'un des hommages les plus importants que le pouvoir ait jamais rendus à la raison. »

Je gravis les dernières marches à la hâte et je pénètre, mon drôle de téléphone à l'oreille, dans le saint des saints.

Déception ! La salle ne correspond absolument pas aux photos en noir et blanc que je garde en mémoire : elle est entièrement tapissée de lambris de bois sombre travaillé, y compris au plafond, d'où tombent quatre lustres de cristal. Une immense croix est suspendue au-dessus du bureau du président de la cour, qui fait face aux visiteurs, encadré par deux lourdes portes en marbre vert sculpté. Sur ma droite, trois fenêtres à petits carreaux qui laissent filtrer la lumière du jour. Sur ma gauche, intact, le box des accusés, qui arrivaient par une autre de ces portes en marbre, après avoir emprunté le long tunnel qui reliait directement la prison au tribunal. Je me tourne, incrédule, vers Henrike Zentgraf, la conservatrice du musée, qui m'accompagne. « J'aurais dû vous prévenir, me dit-elle, la salle a été entièrement refaite en 1961. C'était à une époque où les Allemands voulaient tout oublier de la guerre, du procès. Ils en avaient honte. Ils disaient : "On va tout effacer et repartir de zéro." Alors, ils ont décidé de refaire la salle 600, comme si un coup de peinture et la pose de lambris allaient modifier le cours de l'histoire. »

Henrike est jeune, elle a 36 ans. Elle n'a rien connu des horreurs de ses aînés. Elle est historienne de formation et a décidé de consacrer sa vie à cette période si particulière de son pays. Comment une société réagit-elle face à une histoire pareille ? Que fait-elle de sa morale, de ses principes ? Où est le Bien et où est le Mal ? Elle sourit en arrangeant, d'un geste élégant, une mèche de ses longs cheveux blonds, comme pour s'excuser du sérieux de ses travaux.

« Et aujourd'hui ? Les choses ont changé...

— Tout a changé ! Les Allemands ont été obligés d'affronter leur passé. Ils ont fini par accepter ce qui s'était déroulé sur leur sol. Le procès d'Adolf Eichmann en Israël les a forcés à réfléchir, à faire un véritable examen de conscience. En gros, ils se disent : "Nous n'oublierons jamais... même si le passé peut blesser." Vivent-ils pour autant tranquillement avec ça ? C'est moins sûr. »

Chiffres à l'appui, elle me prouve la pertinence de ses propos. En 2000, 3 600 visiteurs se sont pressés pour visiter le musée. Aujourd'hui, on va sans doute dépasser les 20 000 visiteurs à l'année.

« Les Allemands se sont réapproprié le tribunal de Nuremberg. Surtout depuis la création du tribunal de La Haye. Ils se sont tout à coup sentis fiers d'avoir abrité le premier tribunal international de l'histoire. »

Elle m'explique encore que la salle 600 a repris ses activités depuis la rénovation et qu'elle est réservée aux crimes de sang – elle conserve ainsi son caractère exceptionnel –, avant de m'entraîner vers le troisième étage, vers le musée proprement dit...

C'est le choc ! Ils sont là, les vingt et un accusés du procès de Nuremberg, devant moi. J'ai l'impression qu'en avançant la main je pourrais presque les toucher. Leurs visages, sérieux, goguenards ou méprisants, s'étalent sur deux immenses panneaux reconstituant les deux rangs du banc des accusés. L'agrandissement de la photo est tel qu'ils ont pris possession de la salle, à hauteur du visiteur. Certains sont affalés, quelques-uns paraissent accablés. D'autres, surtout les militaires, se maintiennent raides en regardant droit devant eux. Certains posent nonchalamment un bras sur la balustrade, les écouteurs de la traduction sur les oreilles. Et puis, il y a ceux qui prennent des notes, comptant s'en servir plus tard pour assurer leur défense. Une douzaine de GI, casque blanc sur la tête, les encadrent, les mains dans le dos, le regard vide.

Devant eux, les avocats de la défense. À l'opposé, les juges, tournant le dos aux fenêtres dont on a tiré les lourds rideaux afin d'éviter un attentat et pour que la lumière du jour ne gêne pas la projection de films sur les camps de concentration. À leur gauche, les traducteurs, séparés par des vitres, qui assurent pour la première fois dans une instance internationale une traduction simultanée dans les quatre langues du procès : allemand, anglais, français et russe. Au centre, les procureurs des quatre puissances, Américains, Britanniques et Français en robes d'avocat, Soviétiques en uniformes militaires. Et derrière eux les journalistes, tellement nombreux que l'on en a installé une partie dans la salle, sur les bancs du public, et une autre à l'étage, où l'on a pratiqué deux larges ouvertures afin de leur permettre de suivre les débats. Parmi eux, on aperçoit Ilya Ehrenbourg, Lucien Bodard, Casamayor ou encore Joseph Kessel, qui écrira sur Nuremberg des pages d'anthologie.

« Tous les matins, à chaque reprise d'audience, notera l'auteur des *Cavaliers*, les militaires claquent les talons. Les civils se serrent la main. Les uns sourient. D'autres ont les yeux soucieux. Certains visages ne montrent aucune expression. Ils s'assoient, s'installent, causent entre eux ou avec leurs défenseurs. Mais aucun [...] ne porte sur le front ou dans les yeux la moindre trace, le moindre reflet, la plus petite justification de leur gloire passée, ou du terrifiant pouvoir qui fut le leur.

» Et pourtant, il y a un an, il y a douze mois, Rundstedt n'avait pas encore lancé la contre-offensive des Ardennes. Un froncement de sourcils de Göring faisait alors trembler l'Allemagne, et l'Autriche, et la Bohême, et la Norvège, et les Pays-Bas ! Le voilà accoudé, le dos rond. Son uniforme gris clair qui tire sur le blanc sale flotte autour de lui. Son visage meurtri ressemble à celui d'une vieille femme méchante. »

Les voici donc, les vingt et un, parqués dans un espace de quelques mètres carrés, sévèrement gardés, prêts à répondre de leurs crimes devant une cour internationale. Au deuxième rang, en partant de la gauche, il y a d'abord l'amiral Karl Dönitz, qui semble se cacher derrière d'épaisses lunettes noires. Chef de la Kriegsmarine avec le titre de grand amiral, il fut jusqu'au bout 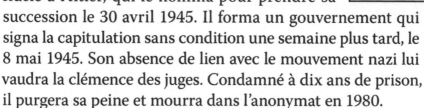 fidèle à Hitler, qui le nomma pour prendre sa succession le 30 avril 1945. Il forma un gouvernement qui signa la capitulation sans condition une semaine plus tard, le 8 mai 1945. Son absence de lien avec le mouvement nazi lui vaudra la clémence des juges. Condamné à dix ans de prison, il purgera sa peine et mourra dans l'anonymat en 1980.

À sa gauche, Erich Raeder. Il a délaissé son uniforme, comme s'il en avait honte, au profit de vêtements civils. Amiral, il est à l'origine du réarmement de la marine allemande en dépit du traité de Versailles. En 1943, il démissionne de son poste de commandant en chef de la marine allemande après la décision de Hitler de désarmer les grands navires de surface au profit des seuls sous-marins. C'est son voisin de banc, Dönitz, qui le remplacera. Condamné à la prison à perpétuité, il est libéré en 1955 et meurt cinq ans plus tard, en 1960.

Baldur von Schirach est le plus jeune de tous les accusés :
il n'a que 38 ans au moment où s'ouvre le procès. Chef des
Jeunesses hitlériennes de 1931 à 1940, il joue un rôle important
dans l'embrigadement de la population par le parti. Même s'il
n'en est pas l'auteur, c'est lui qui a popularisé la célèbre phrase :
« Quand j'entends le mot "culture", je sors mon revolver ! » En
1940, il participe directement à l'arrestation et à la déportation de Juifs autrichiens mais tombe en disgrâce en 1943 après
avoir protesté contre l'extermination systématique des Juifs
de l'Est. Il se rend en mai 1945 aux Américains, ne supportant pas de rester caché dans un village du Tyrol alors que ses
subordonnés se font arrêter. Il écopera de vingt ans de prison.

Avec Fritz Sauckel, on entre dans le registre de la terreur.
Petit, chauve, une misérable moustache soulignant des lèvres
minces, il a fait trembler d'effroi l'Europe entière. Il adhère dès
1923 au parti nazi, et le petit ouvrier d'usine, ancien marin sur
les navires de commerce, devient chef du gouvernement de
Thuringe en 1932. Dix ans plus tard, en 1942, il est nommé
ministre plénipotentiaire pour l'Emploi de la main-d'œuvre.
À ce titre, il sera responsable de la déportation de centaines
de milliers de travailleurs des pays occupés vers l'Allemagne.
Il est condamné à mort par pendaison.

Voici Alfred Jodl, impeccable dans son uniforme de général
en chef du Bureau des opérations du commandement suprême
de la Wehrmacht. Il supervise personnellement la préparation de la campagne contre l'Union soviétique, l'opération
Barbarossa. En 1941, il donne l'ordre aux *Einsatzgruppen* de
rendre « inoffensifs » les commissaires soviétiques et les chefs
bolcheviques. Sa directive fera des milliers de morts. Il est
condamné à mort par pendaison.

À ses côtés, le baron Franz von Papen, jambes croisées et
regard hautain. C'est l'homme de l'ombre, celui qui permit à
Hitler de nouer des contacts avec les plus hautes instances en

Allemagne mais aussi à l'étranger. Il est en particulier l'artisan du Concordat signé, en juillet 1933, entre le Führer et le cardinal Eugenio Pacelli, le futur Pie XII. Ambassadeur à Vienne de 1934 à 1938, il passa la guerre à Ankara à la tête de l'ambassade du Reich de 1939 à 1944. Il fut acquitté à Nuremberg mais condamné ensuite, par un autre tribunal allemand, aux travaux forcés. Libéré en 1949, il meurt vingt ans plus tard.

Vient ensuite Arthur Seyss-Inquart, auquel des lunettes à monture d'écaille et des cheveux en bataille donnent des allures d'intellectuel. Avocat à Vienne en 1921, il entre au parti et gravit rapidement tous les échelons avant de devenir gouverneur de l'Autriche en mars 1938. Ministre du gouvernement nazi en mai 1939, il est à la tête de la région de Cracovie au moment du choix de l'emplacement du futur camp d'Auschwitz. Nommé commissaire du Reich pour les Pays-Bas en 1940, il porte la responsabilité des crimes et déportations qui eurent lieu jusqu'à la fin de la guerre. Il est condamné à mort par pendaison.

Il y a encore Albert Speer, l'artiste, l'architecte qui traduisit en plans et en pierres les rêves mégalomaniaques du Führer. En dehors de la « folie Nuremberg », on lui doit la nouvelle chancellerie du Reich en 1939. Intime de Hitler, il devient son ministre de l'Armement en 1942. Vers la fin de la guerre, il prend conscience du désastre engendré par la personnalité de celui-ci et envisage un attentat contre lui au moyen de gaz toxiques répandus dans son bunker. Grâce à cet attentat manqué, il sauvera sa tête. Mais pour avoir conspiré en vue de réduire en esclavage des millions de personnes dans les usines d'armement, il est condamné à vingt ans de prison. Il mourra en 1981.

Au bout de la rangée, Konstantin von Neurath, un aristocrate perdu dans la folie du nazisme. Il occupe plusieurs postes d'ambassadeur avant de devenir ministre des Affaires étrangères puis protecteur de Bohême-Moravie. En 1941, jugé peu efficace, il est destitué et remplacé par Heydrich. Les juges estimeront que l'homme s'était égaré dans l'aventure nazie et le condamneront à quinze ans de prison. Libéré en 1954, il mourra deux ans plus tard.

À sa gauche, un peu à l'écart à cause du manque de place sur le banc des accusés, deux hommes de moindre importance qui seront, du reste, tous les deux acquittés : Hans Fritzsche, d'abord. Responsable de la radio au ministère de la Propagande, il était surtout connu pour sa voix, proche de celle de Goebbels ; enfin, Hjalmar Schacht, un moment séduit par les idées du national-socialisme mais qui tombera en disgrâce au point de se retrouver au camp de Dachau, d'où les Américains le libéreront.

Mais voilà qu'apparaît au premier rang la star du procès : Hermann Göring, l'as des as de l'aviation allemande durant la Première Guerre mondiale, maréchal du Reich, homme de confiance de Hitler, l'inventeur de la Gestapo, l'initiateur de l'incendie du Reichstag. Longtemps successeur désigné du Führer, il commence à voir son étoile pâlir après l'échec de la bataille d'Angleterre. Détesté par Himmler, Bormann et Goebbels, il est écarté du pouvoir et passe les dernières années de la guerre dans sa luxueuse résidence de Karinhall, où il peut s'adonner à la morphine et aux fêtes excentriques. Lorsqu'il se rend aux Américains, il est dans un tel état que ceux-ci décident de lui faire subir une cure de désintoxication. Amaigri dans ce box des accusés, il donne l'impression de flotter dans son uniforme de la Luftwaffe, mais il est en pleine possession de ses moyens, usant de son charme et de son intelligence, multipliant les remarques en direction des juges, brillant par son esprit d'à-propos et ses références historiques. Il sera l'un des seuls à assumer son passé face à la cour mais niera toute implication dans la déportation et les camps de concentration. « On sait aujourd'hui, m'expliquera plus tard Annette Wieviorka, que les juges auraient sans doute préféré le condamner à la prison à vie. Mais son implication au plus haut niveau dans le régime nazi ne leur laissera pas le choix. » Il est condamné à mort par pendaison.

À sa gauche, une autre grande figure du nazisme : Rudolf Hess. Compagnon de la première heure du Führer, il est enfermé avec lui à la forteresse de Landsberg, où il l'aide à rédiger *Mein Kampf*. Lorsque la guerre éclate, il est membre du Conseil de défense du Reich et deuxième successeur de Hitler après Göring. Très vite, des « déviations graves de son état de santé mentale » sont observées. Son équipée du 10 avril 1941 lève les derniers doutes sur sa « maladie », comme le signale un rapport interne du ministère de la Propagande : il décide de partir seul en Messerschmitt pour l'Écosse, espérant convaincre les Anglais de conclure une alliance avec l'Allemagne contre l'Union soviétique. Londres comprend de suite l'importance de ce cadeau tombé du ciel et l'emprisonne jusqu'à la fin de la guerre. Son avocat tentera en vain de plaider l'irresponsabilité mentale : Hess est condamné à la prison à perpétuité et finira par réussir à se suicider en 1987, à la prison de Spandau.

À ses côtés, Joachim von Ribbentrop, le diplomate. Il éblouit Hitler par sa connaissance des langues étrangères et devient son conseiller pour les affaires internationales. Ambassadeur à Londres avant l'éclatement de la guerre, il provoque un scandale en faisant le salut nazi devant le roi lors d'une réception à la Cour. Nommé ministre des Affaires étrangères en 1938, il est le maître d'œuvre du pacte de non-agression conclu avec l'Union soviétique. Il est condamné à mort par pendaison.

Son voisin est un militaire, impeccablement sanglé dans son uniforme de la Wehrmacht, dont il a été jusqu'au bout le commandant suprême : Wilhelm Keitel. Obéissant sans réticence aux ordres de Hitler, il couvre tous les massacres perpétrés durant la campagne de Russie. Après l'attentat manqué contre le Führer en juillet 1944, il ferme les yeux sur l'exécution de centaines d'officiers de l'armée allemande. Il est condamné à mort par pendaison.

Ernst Kaltenbrunner se tient à sa gauche. Il est l'un de ceux qui prennent des notes durant tous les débats. En 1938, il participe à la préparation de l'Anschluss. Jusqu'en 1943, il se signale par sa cruauté en tant que chef de la police de Vienne, date à laquelle il succède à Heydrich à la tête de l'Office suprême de sécurité du Reich. Considéré comme l'un des responsables de la mise en place de la « Solution finale », il est condamné à mort par pendaison.

Vient ensuite le théoricien du nazisme, Alfred Rosenberg, l'idéologue de la bande. Adepte des théories racistes, il publie en 1930 son *Mythe du xxe siècle*, dans lequel il développe son concept de la race en tant que facteur déterminant de la science, de l'art et de la culture. À l'initiative de la propagation du *Protocole des Sages de Sion*[2], il est nommé en 1941 ministre des Territoires de l'Est, où il organise des massacres de masse. Il est condamné à mort par pendaison.

Protégé par ses lunettes noires, le « bourreau de la Pologne », le « boucher de Cracovie » : Hans Frank. À la tête du Gouvernement général de Pologne, il supervise les crimes contre les populations civiles et met en œuvre la politique des ghettos et d'extermination des Juifs. Il est condamné à mort par pendaison.

Il y a encore Wilhelm Frick, le nez plongé dans ses papiers. Il n'a pas cessé de prendre des notes tout au long du procès. On trouve ce nazi de la première heure à toutes les étapes de l'arrivée de Hitler au pouvoir. Ministre de l'Intérieur au début de la guerre, il devient en 1943 protecteur de Bohême-Moravie,

---

2. Célèbre faux qui prétendait prouver l'existence d'un complot juif visant à dominer le monde.

où il s'illustre par la plus extrême des férocités. Il est condamné à mort par pendaison.

Il n'en reste plus que deux, au bout du banc. Fermant la rangée, Walther Funk, le financier, ministre de l'Économie du Reich et président de la Reichsbank. Il sera condamné à la prison à perpétuité et libéré en 1957. Il est mort en 1960. Et puis, à ses côtés, un certain Julius Streicher.

Trois photos s'étalent sur le bureau de ma chambre d'hôtel de Nuremberg. J'ai réussi à me les procurer sur Internet avant de quitter Paris, sitôt que Yohan m'eut enjoint d'enquêter sur lui. À eux trois, ces portraits constituent un raccourci saisissant de la vie de cet homme. Je viens de les punaiser sur le mur, au-dessus de l'ordinateur, afin de m'en imprégner, de les pénétrer et de tenter de percer le mystère qui entoure Julius Streicher. Mais n'allons pas trop vite et arrêtons-nous sur ces photos.

Le voici, flamboyant, dans son uniforme nazi, mains dans les poches, le bassin légèrement en avant, comme pour mieux affirmer sa puissance. Son bras gauche s'orne d'une croix gammée. Une lanière de cuir attachée à sa ceinture lui traverse le torse, comprimant sa chemise militaire. Il est chauve et arbore une petite moustache, adoptée par mimétisme ou par admiration envers le Führer, et qui accentue le rictus déformant ses lèvres. Mais ce sont les yeux qui fascinent : ils semblent défier l'objectif en concentrant dans l'iris toute la cruauté contenue sous le crâne. Un regard de tueur. C'est sans doute ainsi qu'il distillait la peur au temps de sa toute-puissance, lorsqu'il paradait dans les rues de Nuremberg, croisant sur son passage un petit garçon, Arno Hamburger, qui n'oubliera jamais l'effroi que cet homme lui inspirait.

La deuxième photo représente un vieil homme, le visage mangé par une barbe blanche, un chapeau sur la tête, se gardant bien de fixer l'objectif de l'appareil. Il préfère diriger son regard sur la gauche du photographe, comme s'il ne voulait pas que l'on découvre le secret que recèlent ses yeux. C'est ainsi qu'il a été arrêté, le 23 mai 1945, par le major Henry Blitt, de l'armée américaine. Celui-ci circulait dans son 4 x 4 en direction de Berchtesgaden lorsqu'il décida de s'arrêter quelques minutes dans une ferme, afin d'assouvir une envie de gamin : boire un grand verre de lait frais. Au beau milieu de la cour, un homme en vareuse d'artiste peintre cherche l'inspiration devant une toile représentant les Alpes autrichiennes. Mû par une intuition qu'il ne s'est jamais expliquée, Blitt, qui est juif, décide de lui parler en yiddish. Surprise : le vieil homme le comprend et lui répond dans la langue choisie par le militaire américain. La conversation s'engage, lorsque tout à coup, pour plaisanter, Blitt lui dit : « Vous savez que vous ressemblez à Julius Streicher ? » À ces mots, le vieil homme prend peur, laisse tomber son attirail d'artiste peintre et lui répond : « Comment m'avez-vous reconnu ? » C'est ainsi que l'un des nazis les plus redoutés de Bavière a été arrêté.

La troisième photo a été prise dans sa cellule de Nuremberg. Il est alors âgé de 60 ans. L'homme n'est plus du tout le même : les épaules voûtées, il est assis à sa table de travail, vêtu de ce qui paraît être un uniforme défraîchi, devant des papiers dactylographiés. Il a miraculeusement retrouvé quelques cheveux, qui se dressent, comme électriques, sur son crâne dégarni. Il a rasé sa barbe d'artiste peintre mais a conservé sa minuscule moustache, témoignage désespéré de sa fidélité indéfectible envers un homme mort. Là encore, il refuse de regarder l'objectif : ses yeux semblent se perdre à la recherche d'une époque définitivement révolue ; il se demande ce qu'il fait là, et, en même temps, il sait probablement qu'il sera condamné, qu'il lui sera difficile de sauver sa peau. Mais pas question de dévoiler son regard !

On ne sait pas grand-chose de lui. Il est né le 12 février 1885, à Fleinhausen, près d'Augsbourg. Fils d'un instituteur, il adoptera le métier de son père et se battra pendant la Première Guerre mondiale sous l'uniforme prussien. Séduit par les idées d'extrême-droite, il assiste, médusé, à un discours de Hitler en 1921. Sa vie en sera bouleversée. Dès lors, il n'aura de cesse de faire de Nuremberg la ville phare du parti nazi. En avril 1923, il publie le premier numéro de *Der Stürmer*, hebdomadaire violemment antisémite, dont la devise s'inscrit en grosses lettres à la une du journal : *Die Juden sind unser Unglück* (« les Juifs sont notre malheur »). Il participe au putsch manqué de Hitler en novembre 1923, purge une peine d'un mois d'emprisonnement à la forteresse de Landsberg et devient peu après le patron du parti en Bavière.

Sa carrière semble promise à un brillant avenir à l'avènement du IIIe Reich, mais voilà qu'en 1939, quelques mois avant le déclenchement de la guerre, le maire de Nuremberg et le chef de la police l'accusent de corruption. Il est soupçonné de détournement d'argent public, d'enrichissement sur des possessions juives et de torture sur des prisonniers. Hitler décide de le relever de toutes ses fonctions mais consent à le laisser à la tête du *Stürmer*. Et, durant toute la guerre, il continuera à lancer ses diatribes contre les Juifs.

C'est à peu près tout ce qu'on peut dire de lui jusqu'en 1945.

Le reste, ses motivations, sa personnalité, c'est lors de son séjour en prison qu'on apprendra à les cerner, au travers des multiples interrogatoires qu'il subira et grâce aux entretiens qu'il accordera à un médecin psychiatre américain. On découvre ainsi qu'il est volontiers menteur, déviant sexuel et que son QI est particulièrement bas – le plus faible parmi ses codétenus. Il est en particulier convaincu d'avoir à accomplir une mission : « Je suis le seul au monde qui ait compris le danger juif en tant que problématique historique. Ce n'est pas à cause d'une maltraitance personnelle ou par aversion que je suis devenu antisémite – j'ai été *nommé* ! » En revanche, un point important est établi : Streicher n'a pas participé activement à la Solution finale, même s'il en était le prédicateur le plus acharné.

Voilà donc l'homme qui inspirait une si grande terreur au petit Arno Hamburger dans les rues de Nuremberg, l'homme qui suscitait le dégoût de tous ceux qui l'ont approché, sentiment que l'on retrouve dans tous les écrits se référant à Julius Streicher et qui n'a pas manqué d'aiguiser la curiosité d'Annette Wieviorka : « Bizarre, ce mot de "dégoûtant" qui vient immédiatement à la bouche de ses interlocuteurs… Cet homme provoquait le dégoût… Je me suis souvent demandé s'il n'était pas habité par un antisémitisme… vulgaire, un peu à la manière de ce film de propagande, *Le Péril juif*, que les nazis avaient tourné en 1940... On y voyait les Juifs assimilés à des rats. Très rapidement, les nazis se sont aperçus que ces images ne fonctionnaient pas, que les spectateurs n'adhéraient pas à ce type de raisonnement simpliste, et ils ont vite retiré le film de l'affiche. Streicher devait être l'incarnation de cet antisémitisme démodé et outrancier faisant naître chez ses visiteurs... le dégoût!»

Jugements sans appel mais qui laissent de nombreuses questions sans réponse. Nous sommes en présence d'un homme qui n'a tué personne, qui n'a jamais donné l'ordre de tuer quiconque mais qui a encouragé par ses écrits cette folie meurtrière contre les Juifs qui s'est abattue sur l'Allemagne. Tous les juristes que j'ai interrogés sont formels : cet homme serait aujourd'hui poursuivi pour incitation à la haine raciale et encourrait plusieurs années de prison. Pas la mort. Or, Julius Streicher a été condamné à la pendaison à l'unanimité des juges, sans qu'aucune discussion ne s'engage sur son cas. Comprenons-nous bien : il n'est pas question de réhabiliter cet individu qui s'apparente plus à un détritus de l'histoire qu'à un représentant de l'espèce humaine! Il s'agit simplement de tenter de comprendre sa destinée, d'examiner tous les mécanismes qui vont le conduire à son exécution, à l'occasion de laquelle une énorme surprise, tel un coup de tonnerre, nous attend.

16 octobre 1946. L'aile de la prison de Nuremberg abritant les accusés est éclairée *a giorno*. Les coups de marteau et le bruit de la scie se sont tus depuis quarante-huit heures. Chacun des condamnés à mort est, à présent, seul avec sa conscience, attendant qu'on vienne le chercher. Dans sa cellule n° 25, Streicher n'espère plus rien. Il a même refusé de faire appel de sa condamnation à mort sitôt le verdict prononcé : c'est

son avocat qui en a pris l'initiative. En vain. Cela fait onze mois qu'il évolue dans un espace d'environ 10 m² où l'on a avancé la cuvette des toilettes afin que le détenu n'échappe pas une seule seconde à la vue des gardes américains. Depuis minuit, il entend régulièrement des pas dans le couloir et des portes qui claquent, brisant le silence de la nuit. Il sait ce que cela veut dire. Il a même peut-être compté le nombre de ses camarades de détention qui sont déjà partis à la potence. Mais il ne connaît pas l'ordre prévu par les juges, il ne sait pas à quel moment on va venir le chercher à son tour. Enfin, à 2 heures du matin, deux membres de la police militaire se présentent à sa porte. Manchettes blanches aux poignets, casques aux reflets d'argent, ils sont là pour le faire sortir de sa cellule et le conduire de l'autre côté de la cour de la prison, au gymnase, que l'on a transformé en salle d'exécution. Mais les choses ne se déroulent pas comme prévu : Streicher pleure, crie comme une vieille femme et supplie qu'on le laisse en vie. Il a refusé de s'habiller et ne veut pas non plus marcher. Les deux militaires américains se regardent brièvement et décident d'un même mouvement de le prendre par les aisselles. Il est en tricot de corps et caleçon long. Il va se laisser traîner sur toute la longueur du couloir par deux colosses qui serrent les dents et donnent du muscle. Une trentaine de mètres les séparent de la porte débouchant sur la cour. Ils y sont enfin. Le froid vif de cette fin octobre les saisit. Streicher lance des cris déchirants et refuse toujours de marcher. Tous les projecteurs de la prison sont concentrés sur cette portion pavée d'une cinquantaine de mètres menant au gymnase. Enfin, à l'entrée de la salle, Streicher se redresse. Il est 2 h 12.

Il renifle à présent ce parfum mêlé de whisky, de cigarettes blondes et de sciure qui flotte dans l'air. À l'autre bout du gymnase, dans l'ombre, quatre généraux américains, huit journalistes sélectionnés et le Dr Hoegner, ministre-président de Bavière, qui représente le peuple allemand. Sur le côté, deux médecins chargés de constater la mort. Devant lui, trois écha-faudages peints en noir comportant treize marches menant aux plates-formes surmontées chacune d'une potence. Au pied de celles-ci, le bourreau, le sergent-chef John C. Woods, de San Antonio (Texas), et ses deux assistants. Ces derniers s'avancent déjà vers Streicher. On lui lie les mains derrière le dos avec un épais lacet noir et on le pousse vers les marches de la potence n° 1, celle qui se trouve le plus à gauche en entrant dans la salle. Un arrêt pendant lequel Streicher en profite pour crier *Heil Hitler!*, puis un colonel américain s'adresse à un interprète pour qu'il demande au prévenu de dire son nom.

« Vous connaissez parfaitement mon nom, répond Streicher.

— Votre nom ! répète l'interprète.

— Julius Streicher », consent-il à lâcher doucement.

Ce qui se passe ensuite n'était pas prévu non plus.

Il y a d'abord ses dernières déclarations, stupéfiantes. Nous allons y revenir.

Il y a aussi la façon dont Streicher va être exécuté. Lorsqu'il présente son cou au bourreau, celui-ci a le choix entre deux techniques pour donner la mort : le *short drop* (« petite chute », provoquant la mort par strangulation) ou le *long drop* (« grande chute », occasionnant la rupture brutale des vertèbres cervi-cales et la mort instantanée). Est-ce l'attitude de Streicher, peu digne comparée à celle des autres condamnés ? Est-ce une manifestation des opinions viscéralement antinazies du sergent Woods ? Toujours est-il que celui-ci choisit inten-tionnellement la technique du *short drop* et que pendant dix bonnes minutes les témoins vont entendre les gémissements de Streicher agonisant, étouffé par la corde, invisible derrière les rideaux noirs masquant la fosse. Il sera le seul à mourir de cette façon. Les deux médecins constatent alors le décès, et ce sera fini. Dès le lendemain de l'exécution, le sergent Woods sera relevé de ses fonctions[3].

En attendant, pas de temps à perdre. À 4 heures du matin, tous les condamnés ont été pendus. Les onze cercueils sont chargés dans deux camions de l'armée américaine, escortés par deux voitures armées de mitrailleuses, l'une commandée par un général américain, l'autre par un général français. La nuit est encore noire lorsque le convoi prend la direction de Fürth... suivi par une meute de journalistes. À Erlangen, on s'arrête brutalement et un officier vient parler aux journalistes. Il les avertit qu'à partir de là il serait extrêmement dangereux de continuer à suivre les camions. La menace est claire, et la colonne disparaît dans les brumes matinales de la campagne bavaroise. On saura un peu plus tard que les corps ont été incinérés à Munich et leurs cendres dispersées dans l'Isar : on avait exclu d'enterrer les cadavres dans un cimetière afin d'éviter que les sépultures ne soient transformées en autel par des nostalgiques du IIIe Reich.

Mais revenons aux derniers mots de Julius Streicher.

J'ai devant moi les reportages de deux journalistes américains présents dans le gymnase au moment de l'exécution. Le premier texte, daté du 28 octobre 1946, émane de l'envoyé spécial de *Newsweek* ; l'autre est signé de la main de Kingsbury Smith, représentant de l'International News Service, une agence de presse américaine qui fusionnera quelques années plus tard avec United Press International. Ils rapportent tous les deux la même chose, mot pour mot : des paroles incompréhensibles, déconnectées de l'événement au cours duquel elles ont été prononcées. Voilà un homme qui va mourir et qui lance des phrases mystérieuses, sans référence aucune à ce qu'il va laisser derrière lui. On est loin des « Je regrette, je suis fier, que Dieu protège l'Allemagne »

---

3. John Woods est mort électrocuté le 21 juillet 1950 à Eniwetok, aux îles Marshall, alors qu'il tentait de réparer une chaise électrique.

64

entendus pendant quatre heures dans cette sinistre salle d'exécution. Streicher parle et plonge aussitôt le monde entier dans un abîme de questions. Je commence à comprendre pourquoi Yohan m'a demandé d'enquêter sur cet homme.

Il reste encore deux marches à gravir. À bout de souffle, les deux assistants du sergent Woods, qui portent Streicher par les aisselles, s'arrêtent une seconde. C'est le moment que celui-ci attendait pour se redresser et lancer un vibrant : « Et maintenant, je vais vers Dieu ! » Le petit groupe d'observateurs frissonne. Les journalistes accrédités grattent sur leur calepin les derniers mots de Julius Streicher. Enfin, le petit groupe parvient à la plate-forme de la potence. La corde est là, mais, avant que le bourreau ne la lui passe autour du cou, il est impératif de positionner le condamné très exactement au-dessus de la trappe.

Soudain, Streicher se tourne vers les témoins de l'exécution et se plante face à eux, les mains toujours liées dans le dos. On le voit plisser les yeux, essayant sans doute d'attraper leurs regards. Peine perdue, ce sont des ombres qui lui font face, à peine aperçoit-il les jambes ou les pieds de ces spectateurs de la dernière heure. Il crie alors – non, il hurle – ces quelques mots que l'écho du gymnase doit renvoyer aux quatre coins de la prison : « Ce sont les Juifs qui vont être contents ! C'est Pourim 1946 ! »

Les militaires sont tétanisés, les journalistes notent sans trop comprendre les propos de Streicher. Tout le monde se regarde, essayant de capter chez l'autre un signe d'intelligence sinon d'explication. Mais non : sur le moment, personne ne sait ce qu'a voulu dire Streicher. Seul le sergent Woods poursuit, méthodiquement, sa mission : il déplace le condamné vers le centre de la plate-forme et lui passe la corde autour du cou.

L'officier américain demande alors à l'interprète si le condamné a quelque chose à ajouter.

« Les Bolcheviques vous pendront un jour ! » bredouille Streicher, qui offre déjà son cou au bourreau.

Puis on lui recouvre le visage d'une cagoule noire à travers laquelle il murmure encore : « Adèle, ma chère femme… » Le mécanisme de la trappe est actionné et le corps de Streicher disparaît des yeux du public. La scène a duré moins de cinq minutes.

Dès le lendemain de l'exécution, tous les journaux du monde entier titrent sur ce qu'ils appellent le « mystère Streicher ». Qu'a-t-il voulu dire ? Pourquoi cette soudaine référence à la liturgie juive ? Comment expliquer l'irruption d'un texte vieux de 2000 ans dans ce gymnase de Nuremberg ? J'entrevois mieux les intentions qu'avait eues Yohan en m'envoyant seul en Bavière.

« Alors ? me dit-il, la voix légèrement déformée par le téléphone portable.

— Alors ? J'ai tout vu, le Colisée, le Zeppelin, la cour du tribunal, la prison… J'ai enquêté sur tous les accusés… en particulier, comme tu me l'avais demandé, sur Streicher !

— Et… ?

— J'ai passé en revue sa vie… et ses derniers mots avant son exécution !

— Pas mal ! Tu es allé plus vite que je ne le pensais ! Je te félicite ! »

Yohan s'arrête un instant. Puis il reprend en baissant la voix :

« Tu comprends maintenant pourquoi je t'ai demandé de te rendre à Nuremberg ?

— Je crois que oui…

— Il fallait que tu sois confronté directement aux éléments de cette enquête. Que tu découvres les invraisemblances, les choses troublantes. Que tu décides alors si tu voulais continuer, cette fois avec moi.

— Tu veux parler de Streicher et de son fameux « Pourim 1946 »...

— Tout juste.

— Mais bien sûr que je veux comprendre ! Et ce ne sont pas des articles de presse confirmant qu'il a bien prononcé ces mots avant de mourir qui vont éclairer ma lanterne. Comment penser une seconde que je peux en rester là ? »

Je hausse le ton, un peu agacé par ce jeu du chat et de la souris.

« Alors, bienvenue à bord ! me dit Yohan, un sourire dans la voix. Je vais quand même te faire les recommandations d'usage : le chemin risque d'être long et semé d'embûches... Et "la bande s'autodétruira", etc., etc. Tu marches avec moi ?

— Tout de suite !... Mais dis-moi, on commence par quoi ?

— Mais par le début ! me répond Yohan en éclatant de rire. Par la fête de Pourim ! »

En raccrochant, je savais déjà que j'allais appeler ma mère au secours. Elle n'avait pas encore dit son dernier mot.

II

La fête de Pourim

Chaque année, à la même époque, un mois avant le printemps et la fête de Pâques, ma mère entrait en frénésie dans sa cuisine. Elle se levait dès les premières lueurs du jour et ne se couchait qu'à une heure avancée de la nuit. Quelques minutes à peine pour s'alimenter et elle se remettait à la tâche, pétrissant énergiquement la pâte pour les gâteaux qu'elle modèlerait ensuite avec des gestes minutieux pour leur donner, une fois farcis de dattes, la forme de cœurs. Ils étaient, ces gâteaux, rose bonbon ou vert pistache, teintés à l'aide de produits hautement chimiques, mais ils faisaient la joie de tous, grands et petits, comme si cette profusion de couleurs criardes allait pour de bon décider le gris de l'hiver à battre en retraite. La maison embaumait du sirop dont elle arrosait les cigares à la pâte d'amandes sortis tout frémissants de l'huile bien chaude. Sans doute pour se donner du cœur à l'ouvrage, elle chantait en reprenant les succès que diffusait la radio et s'efforçait de nous chasser, nous qui voulions goûter à tout, afin d'être seule sur son territoire. C'est qu'elle n'avait pas une seconde à perdre : il lui fallait confectionner suffisamment de pâtisseries pour que chaque membre de la famille, enfant, petit-enfant, cousin, cousine, neveu et nièce, ait son petit sac en plastique bourré de *makrouds* et de *bestels* aux amandes,

71

les fameuses « oreilles d'Aman ». Elle prenait ensuite un soin infini à inscrire sur de petits papiers, qu'elle affichait bien en évidence, le nom des heureux destinataires, pour être sûre de n'oublier personne. Elle disposait les sachets de gâteaux dans une grande corbeille, avec un sens aigu de la décoration, et plaçait enfin le résultat de plusieurs jours de travail intense au centre de la table basse du salon afin que chacun se serve le soir de la fête. Alors, et seulement à ce moment-là, elle se laissait tomber sur son fauteuil favori face au téléviseur et lâchait : « Je ne sais pas pourquoi mais je me sens un peu fatiguée... Pourtant, je n'ai pas fait grand-chose ! »

À peine quelques minutes de repos et elle repartait en campagne dans sa cuisine, à l'assaut de la deuxième partie des réjouissances : le repas de fête proprement dit. Le ragoût de pommes de terre d'abord, parfumé au paprika et à la coriandre, laissé à mijoter des heures à petit feu (« Il faut que les pommes de terre soient fondantes », disait-elle) avant qu'elle y ajoute la viande qui absorberait doucement les saveurs des épices. Ensuite, le chou... Ah, le chou qu'elle laisserait en réduction sur le feu sept ou huit heures afin qu'il soit confit au moment du repas ! Je sens encore ce parfum si particulier qui nous saisissait lorsque nous arrivions chez elle, que l'on humait avec délices avant de sonner à sa porte, l'odeur de la fête, d'un repas convivial en famille avec ma mère, fière parmi ses enfants, emplissant les assiettes et s'inquiétant : « Comment vous le trouvez, cette année, le chou ? »

Et lorsqu'on lui demandait pourquoi on mangeait chaque année la même chose, elle souriait et nous avouait qu'elle ne savait pas, qu'avant elle sa mère et sa grand-mère avaient toujours confectionné ce repas pour la fête de Pourim. À ce moment-là, il y avait toujours un enfant, jamais le même, qui lui posait la question : « Au fait, Mamy, c'est quoi, la fête de Pourim ? »

Cette question, elle l'attendait avec une gourmandise mani-feste dans ce regard que n'altéreraient pas les années. On eût dit qu'elle avait passé des jours et des nuits dans sa cuisine dans le seul but d'entendre l'interrogation de l'un de ses petits-enfants. Je sais aujourd'hui que, toutes ces dernières années, elle passait beaucoup de temps à en savoir plus, à enrichir le récit qu'elle allait nous en faire, prenant des notes pour nous transmettre son savoir et nous révéler un détail inédit qui allait relancer notre intérêt. La vraie nature de ma mère n'était pas dans le secret d'une sauce béarnaise incomparable mais dans la connaissance, l'histoire en particulier, dont elle était très friande. Ces soirs de Pourim, son visage s'illuminait alors, et, avec ses mots à elle, avec parfois ces tournures caractéris-tiques de livres qu'elle avait consultés et qui avaient le don d'agacer mon père, entre passé simple hésitant et imparfait du subjonctif parfois fantaisiste, elle entrait en scène. Elle repo-sait ses couverts, le silence se faisait autour de la table, et elle commençait, pour la trentième ou quarantième fois dans sa vie, d'une voix qui savait se faire tour à tour douce et violente, le récit du Livre d'Esther...

Écoutez-la :

« C'était il y a fort longtemps, 300 ans avant Jésus-Christ, une époque qui se perd dans la nuit des temps. Il existait alors un royaume qui s'étendait des contreforts de l'Inde aux confins du Koush, c'est-à-dire les trois quarts du monde alors connu. Il comportait 127 provinces sur lesquelles régnait un homme sage et bon, le roi Assuérus. Il avait bâti sa capitale à Suse, l'une des plus belles villes de son époque, dont malheureusement il ne reste plus rien aujourd'hui. Les ruines de Suse se trouvent à présent en Iran, et figurez-vous que c'est un archéologue français, plus aventurier qu'amateur d'histoire, un certain Jacques de Morgan, qui a achevé de la massacrer à la fin du

73

xixe siècle. Seules les œuvres d'art l'intéressaient. Pour un vase ou une parure de cérémonie, il a abattu des pans entiers de muraille, réduisant à l'état de poussière ce que le temps n'avait pas encore détruit. C'est dommage quand même ! »

En général, mon père intervenait à ce moment-là et, lui qui était si peu démonstratif en temps normal, l'apostrophait pour engager avec elle une querelle que nous connaissions par cœur, comme un numéro qu'ils avaient longuement répété tous les deux :

« Bon, tu gardes tes commentaires pour tout à l'heure et tu te contentes de nous raconter l'histoire d'Esther !

— Mais il faut bien que mes enfants et petits-enfants sachent tout de cette histoire, lui répondait ma mère, indignée.

— Concentre-toi sur Esther et fais-nous grâce de tes détails archéologiques qui n'intéressent personne !

— Bien », disait-elle, faussement vexée et soumise, avant de reprendre le cours du récit...

« Un jour que le roi Assuérus donnait un grand banquet dans son palais en l'honneur d'ambassadeurs et de riches marchands, il fit appeler son épouse, la reine Vashti, pour qu'elle vînt honorer ses hôtes de sa présence. Pour l'occasion, il avait fait tendre des tissus de lin colorés sur toutes les colonnes de marbre du jardin, encadrant des divans d'or et d'argent qui s'étalaient sur un sol de nacre et de porphyre, une pierre de couleur pourpre d'où elle tirait son nom. Des dizaines de serviteurs déversaient sur les tables les mets les plus fins et servaient le meilleur vin du royaume dans des coupes en or. Des murmures de gourmandise et de satisfaction s'élevaient des tables d'invités et rythmaient le ballet incessant des domestiques. Mais la reine Vashti n'était toujours pas là. C'est alors qu'un eunuque du harem se présenta devant le roi pour lui confier que la reine refusait de venir. Assuérus entra dans une grande colère, une fureur dévorante, disent les textes. Comment osait-elle décliner une invitation du roi ? Pour qui se prenait-elle ? Qui était-elle pour refuser de se soumettre aux désirs du roi ? C'est vrai, quoi... Même dans le Code civil, il est dit qu'une femme doit obéissance à son...

— Tu recommences, intervenait mon père ! Épargne-nous tes commentaires !

— Oui, répondait ma mère, mais c'est en même temps une leçon pour les générations futures... et en particulier pour mes belles-filles, ajoutait-elle à voix basse.

— Alors commence par obéir à la parole de ton époux », lâchait mon père en souriant, certain de sortir vainqueur de cette joute, sous les yeux franchement scandalisés de mes belles-sœurs non averties.

Ma mère reprenait :

« Le roi était donc en colère. Il réunit sur-le-champ son Conseil des sages, composé des sept princes perses et mèdes qui occupaient la première place dans le royaume. Comment devait-il réagir face au défi de la reine Vashti ? Memoukân, l'un des plus sages parmi les princes, se leva et déclara que la faute de la reine n'atteignait pas seulement le roi mais aussi tous les peuples dans toutes les provinces du royaume. "Car lorsque le refus de la reine viendra à la connaissance de toutes les femmes, ajouta-t-il, elles se permettront de regarder leur mari avec mépris. Je te conseille deux mesures, ô roi : d'abord, tu dois destituer Vashti de sa condition de reine. Et, dans le même temps, tu vas envoyer à travers les 127 provinces de ton royaume tes meilleurs inspecteurs afin qu'ils ramènent à la Cour les vierges les plus belles et les plus dignes de figurer à tes côtés. Parmi elles, tu choisiras l'élue de ton cœur, qui deviendra ta reine."

» La proposition de Memoukân plut au roi, qui s'empressa de publier un décret destituant Vashti et donnant l'ordre à ses inspecteurs de lui ramener la future reine.

» Or, juste à côté du palais royal vivait une jeune orpheline qui avait été adoptée par son oncle. Elle s'appelait Esther et faisait l'admiration de tous tant elle était belle et gracieuse. Dès l'application du décret royal, et comme elle était pure et obéissante, elle se tourna vers son oncle, Mardochée, pour savoir ce qu'elle devait faire. "Tu iras au palais et tu seras présentée au roi. C'est la loi. Mais ne lui révèle pas tes origines, ne lui dis pas que tu es juive."

» Elle se retrouva donc dans la cour du palais avec des centaines de jeunes filles qui rêvaient toutes de devenir la nouvelle reine. Elles étaient belles et bien habillées. Elles souriaient à tous et parlaient bien fort pour se faire remarquer par Hegaï, le gardien des femmes. C'est lui qui était chargé de faire le tri, une première sélection, avant la présentation au roi. Bien qu'elle portât une robe très simple et se tînt à l'écart des autres, Esther fut choisie tant éclataient sa grâce et sa beauté. Mais elle allait devoir attendre avant d'être présentée au roi Assuérus. Le protocole de Suse prescrivait une "quarantaine" pour les jeunes filles avant qu'elles aient l'honneur de rencontrer le souverain : six mois pendant lesquels elles étaient baignées quotidiennement dans de l'huile de myrrhe et encore six mois de traitements corporels à base d'essences rares. »

« Vous vous rendez compte ? disait alors ma mère, les yeux levés vers le ciel. Quelle merveille ! Un an à prendre soin de son corps, à être traitée comme une princesse ! Et tout cela en vue d'une seule rencontre !

— Mais tu as la peau la plus douce que peut espérer avoir une femme ! lui lançait mon père. Tu n'as besoin d'aucun artifice. »

Un large sourire envahissait alors le visage de ma mère : son mari venait de lui faire *sa* déclaration amoureuse de l'année. Il lui faudrait attendre douze mois pour espérer la prochaine… Quelques années plus tard, après la disparition de mon père, ce même passage emplirait ses yeux de larmes.

« Bref, au terme d'un an, Esther fut présentée au roi. Il tomba éperdument amoureux de la jeune orpheline et décida d'en faire sa reine.

» Un jour que Mardochée était assis, comme il en avait pris l'habitude, à la porte du roi, il surprit une conversation entre deux eunuques du palais. Il comprit très vite que les deux hommes projetaient un attentat contre Assuérus. Immédiatement, il demanda à Esther d'aller prévenir le roi du complot qui se tramait contre lui. Une enquête fut ordonnée, et les coupables furent démasqués. On les pendit à une potence et l'incident fut consigné dans le livre des Chroniques du royaume.

» C'est à ce moment-là que les événements vont s'enchaîner et prendre une tournure dramatique.

» Le roi, seul, ne pouvait plus faire face à la gestion du royaume. Les charges étaient trop importantes : prélèvement des impôts, pacification des 127 provinces, règlement des conflits locaux, etc. Il décida donc de prendre un Premier ministre. Il choisit le fils d'Hammedata, le sinistre Aman... »

C'est le passage que nous attendions tous. Nous prenions alors nos couverts, nos assiettes et nos verres, tout ce qui se trouvait sur la table, pour faire du bruit afin de provoquer un immense chahut à chaque fois que le nom d'Aman était prononcé. Pour les enfants, dont je faisais partie, cet intermède était une véritable délivrance. Après tout ce temps passé à écouter sagement la belle histoire, dont, entre parenthèses, nous connaissions tous les rebondissements, il nous était permis – mieux : recommandé – de donner libre cours à notre énergie pour couvrir d'opprobre le nom funeste du Premier ministre d'Assuérus. C'était à qui crierait le plus fort pour agonir d'injures un homme dont le nom était synonyme du Mal absolu, dont l'évocation allait bercer d'effroi toute notre enfance. Je me suis longtemps demandé ce qu'aurait pensé un étranger faisant irruption devant cette tablée en furie et à qui on aurait tenté d'expliquer que l'on célébrait une fête juive ! Oserai-je l'avouer ? J'ai la nostalgie de ces soirées emplies de cris d'enfants où il nous était demandé de proférer des injures rigoureusement censurées le reste du temps, sous le regard rassurant et fier de nos parents. On nous encourageait à transgresser un interdit pour mieux affirmer notre identité. Et le même processus se reproduirait quelques années plus tard avec nos propres enfants.

Mais tout ce charivari n'avait aucune influence sur ma mère, qui, le sourire aux lèvres (elle devait savourer intérieurement l'efficacité de son enseignement), avançait imperturbablement dans son récit :

« Aman fut élevé au-dessus de tous les princes de son rang. Toute la Cour prit l'habitude de s'agenouiller et de s'incliner devant celui qui était devenu l'homme fort du royaume. Un jour qu'il croisait Mardochée, celui-ci refusa de se prosterner parce qu'il est dit que l'Homme ne se prosternera que devant Dieu, béni soit-Il… Pour une raison que le Livre d'Esther n'explique pas, Aman fut rempli de fureur, éructant non seulement contre l'oncle d'Esther mais contre tout son peuple. Il se rendit alors chez le roi et lui expliqua qu'il existait dans son royaume des gens qui n'étaient pas comme les autres : "Ils sont partout, dit-il à Assuérus, infiltrés parmi tous les peuples, dans toutes les provinces ; leurs lois sont différentes des nôtres… Il n'est pas bon de les laisser en repos. Si cela te semble bon, ô roi, signe leur perte et je te ferai peser 10 000 talents d'argent pour les coffres de la Couronne." Le roi se tenait loin de ses sujets, il s'intéressait assez peu au sort d'une tribu ou d'une ethnie. Il accepta le marché.

» À cette époque, on s'en remettait beaucoup aux prédictions, au hasard, aux signes dans le ciel, pour prendre une décision. Aman et ses conseillers tirèrent au sort (*pour* en hébreu, d'où le nom de la fête) pour déterminer la date de la mise à exécution du complot. Il fut ainsi décidé que le treizième jour du mois d'Adar, des potences seraient dressées dans toutes les provinces pour pendre les Juifs. On devait les détruire, les tuer et les faire disparaître tous, de l'enfant au vieillard, avec toutes leurs femmes et leur famille. »

« Aman venait d'inventer la Solution finale ! lançait alors ma mère, de manière solennelle. Vous vous rendez compte ? Il voulait nous tuer tous, nous faire disparaître de la surface de la Terre, dit le Livre d'Esther ! S'il avait réussi, nous ne serions pas là ce soir à célébrer la fête de Pourim ! Maudite soit son âme ! »

Puis elle se calmait, consciente qu'elle avait provoqué la peur et l'angoisse chez les plus petits d'entre nous, et elle ajoutait à notre adresse, comme un clin d'œil : « Ne vous en faites pas ! Il ne réussira pas ! »

« Lorsque Mardochée apprit ce qui se tramait, il déchira ses vêtements, prit un vulgaire sac de jute dont il se revêtit et se couvrit de cendres. C'était sa manière à lui d'afficher son malheur, de montrer à tous qu'il était en deuil – il se tenait nu devant Dieu, le visage et la peau blanchis par la poussière qui accentuait l'expression de sa tristesse. Il parcourut les rues de Suse en se lamentant, croisant des centaines de Juifs en pleurs ou en prières et parvint ainsi aux portes du palais. Déjà, sur la Grand-Place, une potence commençait à être montée. On entendait la scie et les coups de marteau annonciateurs de mort pour tous les Juifs du royaume. Mardochée, avec son sac de jute et le corps recouvert de cendres, décida de s'asseoir devant l'immense portail pour annoncer à tous qu'il entrait en période de jeûne et d'imploration divine.

» Ses lamentations parvinrent aux oreilles d'Esther, qui dépêcha aussitôt Hatak, l'un des eunuques à son service, pour connaître la cause de ces plaintes. Mardochée lui raconta le complot imaginé par Aman, maudite soit son âme, et ordonna à sa nièce d'aller voir Assuérus. Elle devait lui révéler son appartenance au peuple juif, lui dire qu'elle aussi allait être pendue et qu'une tragédie sans précédent se tramait dans son royaume.

» Seulement voilà : on ne pouvait se présenter devant le roi sans y avoir été expressément convié, sous peine de mort. Esther décida de braver l'interdit. Elle fit dire à Mardochée de rassembler tous les Juifs de Suse afin qu'ils commencent un jeûne de trois jours et trois nuits qu'elle respecterait elle-même. Elle irait ensuite voir le roi, malgré la menace de mort qu'elle encourait, pour lui raconter le drame qui se jouait sous les fenêtres de son palais.

» Ainsi, trois jours plus tard, amaigrie et les traits tirés, Esther revêtit les ornements royaux et se présenta devant le roi. Assuérus vit sa bien-aimée, belle et désespérée. Il lui tendit son sceptre d'or, signe qu'il lui pardonnait son intrusion dans la maison du roi, et lui demanda la raison de sa présence devant lui.

» "J'ai décidé d'offrir un grand banquet demain, lui répondit Esther. Et si jusqu'à présent, j'ai trouvé grâce à tes yeux, alors accepte d'y participer et invite ton Premier ministre à se joindre à nous.

» – J'accepte, répondit Assuérus. Mais à une condition : je veux que tu formules un vœu que j'exaucerai sur le champ. Car je veux te voir belle et heureuse !

» – Je le ferai, ô mon roi, demain, lors du banquet que je donnerai en ton honneur…" »

À ce stade du récit, ma mère se permettait une gorgée de vin, les yeux brillants d'excitation.

« C'est une femme, oui, une femme qui va sauver le peuple juif ! Dans tous les textes sacrés, la femme est décrite comme un être soumis, attendant l'homme à la maison, s'occupant du repas et des tâches subalternes. Esther est la première, et la seule, qui relève la tête, sans un pleur ni une lamentation, osant affronter les hommes sur leur terrain !

— Tu ne vas pas à présent nous dérouler ton couplet fémi-
niste ! lui lançait mon père, goguenard. Tu veux peut-être
rejoindre les rangs du MLF ?

— Parce que vous ne supportez pas, vous les hommes, qu'une
femme vous dépasse ? De ne pas être, pour une fois, les héros
de l'histoire ? Ah, ça vous embête, n'est-ce pas ? »

Ma mère triomphait, sous les applaudissements de la tablée,
ceux de mes belles-sœurs en particulier, qui reconnaissaient
en elle une belle-mère redoutable mais surtout une femme
de convictions. Puis le brouhaha cessait, et ma mère enta-
mait d'une voix un peu plus éclatante la dernière partie du
rouleau d'Esther :

« Cette nuit-là, le roi avait du mal à trouver le sommeil. Pour
tromper son insomnie, il demanda à consulter le registre des
Chroniques du royaume. Il tomba sur le récit du complot déjoué
par Mardochée. Il décida de le récompenser. Mais comment ?
Le soleil se levait déjà sur Suse, et Aman, bien matinal, arri-
vait au palais royal.

» "Que faire pour un homme que le roi veut honorer ?" demanda Assuérus à son Premier ministre.

» Aman, pensant qu'il s'agissait de lui, répondit : "Qu'on lui
passe un habit royal, qu'on le fasse monter sur un cheval royal
et qu'on le conduise à travers la ville en proclamant : 'Voilà ce
qu'on fait à un homme que le roi désire honorer !'"

» "Que l'on exécute immédiatement ta proposition ! L'homme
à honorer, c'est Mardochée, ce Juif qui est assis aux marches
du palais. Et tu vas prendre la bride du cheval et le promener
dans les rues de Suse."

» La mort dans l'âme, Aman s'exécuta.

» Quelques heures plus tard, le palais royal résonnait des
préparatifs du banquet offert par Esther. Alors que les serviteurs achevaient de dresser sur les tables les mets favoris du
roi, celui-ci arriva, accompagné de son Premier ministre.

» "Me voici, dit Assuérus, ainsi que je te l'avais promis, avec à mes côtés Aman. À présent, c'est à toi d'exprimer ta requête… Elle te sera accordée. Tu peux me demander jusqu'à la moitié du royaume, je te l'offrirai!

» – Si j'ai trouvé grâce à tes yeux, ô roi, lui répondit la nièce de Mardochée, alors qu'on m'accorde ma propre vie et celle de mon peuple. Car nous avons été vendus moi et mon peuple : on veut nous détruire, nous tuer, nous faire disparaître.

» – Qui est-il et où est-il, celui dont le cœur est empli de tels desseins? hurla le roi.

» – L'adversaire, l'ennemi est ici. Parmi nous. C'est Aman."

» À ces mots, le roi explosa de fureur pendant que son Premier ministre devenait livide. Assuérus comprit que pour quelques talents d'argent il allait perdre sa bien-aimée, ainsi que tout son peuple. Il criait si fort que tout le palais suspendit toute activité, s'interrogeant sur la colère du roi. Quand il se fut calmé, il ordonna que l'on couvrît le visage d'Aman, maudite soit son âme! Il ordonna qu'on le pende, lui et sa descendance, avec la corde qu'il destinait au peuple juif. »

« Et là, précisait ma mère, une légère contrariété dans la voix, une chose bizarre se produit dans le récit. Écoutez… »

« Le lendemain de ces événements, Esther se présenta devant le roi. Celui-ci lui demanda de faire un vœu, qu'il se ferait un plaisir d'exaucer. Elle lui répondit : "Que l'on pende les dix fils d'Aman!"

» Le problème, c'est qu'ils avaient été pendus la veille! s'étonnait ma mère. Alors ne me demandez pas pourquoi elle réagit de cette façon ou ce que signifie cette répétition. Je vous le dis tout net : je ne sais pas!

» Quoi qu'il en soit, c'est ainsi que, le treizième jour du mois d'Adar, les Juifs sortirent dans la rue pour manifester leur joie. Les femmes confectionnèrent toutes sortes de gâteaux, les enfants se déguisèrent pendant que les hommes remerciaient Dieu de les avoir épargnés. Mardochée devint le deuxième personnage le plus important du royaume, veillant sur sa nièce, Esther, qui avait sauvé le peuple juif de sa destruction...

» Voilà pourquoi, concluait ma mère, on célèbre ce soir la fête de Pourim. Voilà pourquoi on mange des "oreilles d'Aman". Voilà pourquoi les cris et les rires résonnent dans toute la maison... »

C'était le signal que nous attendions. À ces mots, toute la tablée, grands et petits, se levait pour chanter et danser autour de ma mère, qui restait assise, épuisée par sa performance. Elle prenait un verre d'eau puis nous regardait avec un immense bonheur dans les yeux. Elle était heureuse d'avoir été jusqu'au bout de l'histoire sans faillir, heureuse de voir sa descendance célébrer Pourim, heureuse d'avoir assuré la transmission de son savoir aux jeunes générations. Sa méthode n'était pas très orthodoxe selon les préceptes de la liturgie juive : elle s'écartait souvent du texte original, ajoutant tel détail de son invention afin de le rendre plus attrayant (il fallait l'entendre nous raconter le récit de la sortie d'Égypte pour la fête de Pâques, endossant le rôle de Moïse devant les flots tumultueux de la mer Rouge, au point que nous l'avions proclamée consultante de Cecil B. DeMille pour son film *Les Dix Commandements*!), ses commentaires étaient parfaitement déplacés aux yeux des gardiens de la Loi, mais c'est ainsi qu'elle concevait son rôle de « passeur » de la religion. « Je sais, disait-elle parfois, que les rabbins et les docteurs de la foi hurleraient devant ma conception des choses. Mais c'est ainsi que ma grand-mère puis ma mère m'ont enseigné à le faire. Et quand je vous vois tous autour de cette table, je crois... que j'ai réussi. »

Les mécanismes de la mémoire sont étonnants ! Il aura suffi d'un mot, comme il a suffi à Proust d'une madeleine, pour que je sois propulsé des dizaines d'années en arrière, aux temps heureux de l'enfance innocente. Lecteur assidu de *La Recherche*, je connaissais le phénomène, mais il ne s'était jamais manifesté avec une telle acuité et, j'oserai dire, une telle violence. Les souvenirs s'étaient abattus en pluie drue, d'abord sans contrôle aucun, puis de façon plus ordonnée, et toute une tranche de vie, insoupçonnable, avait refait surface. La nappe blanche, les « oreilles d'Aman », l'histoire d'Esther, tout était soudainement là, illuminé par la voix de ma mère et son sourire bienveillant sur nous, les enfants. Quel paradoxe ! Un mot, prononcé il y a soixante-dix ans par un homme abject dans une salle sinistre plantée de trois potences qui puaient la mort, avait fait resurgir un souvenir fait de rires et de miel que je pensais perdu à tout jamais.

« Grâce à ta maman, tu possèdes les bases. Tu peux la remercier ! »

Yohan conduit toujours aussi vite. Il a insisté pour venir me chercher à l'aéroport. Le temps a changé : l'éclatant soleil d'il y a quelques jours a fait place à une grisaille annonciatrice de l'hiver. La radio bruit de rumeurs et de prévisions catastrophiques en matière économique et politique : plans de sauvetage de l'euro, réunion de la dernière chance, chiffres de la dette étourdissants... Et, moi qui suis journaliste dans l'âme, je balaie d'un geste cette actualité immédiate pour enquêter sur une histoire vieille de 2 300 ans.

« J'ai déjà contacté quatre hommes, continue Yohan. Un "carré d'as", chacun spécialiste dans son domaine. Ils vont nous aider dans nos recherches et élargir le champ ouvert par ta maman. J'espère que tu n'es pas trop fatigué du voyage : nous avons rendez-vous avec le premier dans une demi-heure. *Welcome to Paris !* »

Le Carré d'as

S'il fallait choisir une couleur, j'opterais immédiatement pour le rouge, l'as de cœur : Avraham Malthète respire la bonhomie et l'intelligence. Son visage est mangé par une très courte barbe blanche qui ne cache pas un sourire permanent et des yeux pétillants. Il a une soixantaine d'années, les cheveux gris et donne l'impression d'être toujours en mouvement. Il est venu nous accueillir dans le hall, sa kippa sur la tête et les fils de son *talit* dépassant de sa chemise. À grandes enjambées, il nous conduit vers son bureau, téléphone à l'oreille, nous invitant du geste à le suivre. Et là, c'est un véritable capharnaüm ! Les livres et les dossiers s'accumulent sur les étagères et dégringolent jusqu'au sol, une bouilloire électrique dispute quelques centimètres carrés à des tasses de café, des images et des cartes anciennes s'entassent sur son bureau : pas le moindre passage en vue dans une pièce pourtant assez vaste, éclairée par deux grandes fenêtres. Il se fraie un chemin (sans rien faire tomber, avec une agilité qui dénote une habitude certaine, tant sa démarche est assurée, dénuée de la moindre hésitation) jusqu'à sa table de travail et débarrasse rapidement les chaises d'une représentation de la Mésopotamie ou de la photocopie d'un fragment de pierre ancienne, pour nous permettre de prendre place.

Avraham Malthète est épigraphiste et paléographe à l'Alliance israélite universelle, où il a la charge, depuis une douzaine d'années, des manuscrits hébreux.

« Disons plus simplement que je suis spécialiste des inscriptions sur la pierre et des écritures anciennes ! » déclare-t-il d'emblée, comme pour s'excuser de la lourdeur de ses titres.

Il consent malgré tout à nous révéler le nombre de langues qu'il pratique et s'amuse de nos visages ébahis à mesure qu'il égrène sa liste : hébreu, yiddish, latin, grec, araméen (« Tous les dialectes », précise-t-il), allemand, russe, arabe classique, italien, espagnol et portugais... « Ah, et puis, j'allais oublier : le créole guadeloupéen, le bas breton, et je me débrouille pas mal en hongrois... » Je comprends mieux à présent l'impression qui saisit le visiteur qui pénètre dans son bureau, celle d'entrer dans la tour de Babel !

« Impressionnant ! Et comment expliquez-vous cette aptitude aux langues ?

— Oh, je crois simplement que je suis doué pour ça, répond-il avec un sourire faussement modeste. Je n'y suis pour rien ! »

Les gènes sont-ils à l'origine de ce don étonnant ? Ou alors, l'éducation ? Le grand-père d'Avraham n'est autre que Georges Méliès, génial pionnier du cinématographe et père des effets spéciaux, avec qui notre hôte revendique un ou deux points communs : « Comme lui, dit-il, je suis touche-à-tout et perfectionniste. »

Stupéfiés par tant de connaissances, nous parvenons quand même à lui exposer la raison pour laquelle nous sommes là : le Livre, appelé aussi *Meguila*, d'Esther.

« D'abord on peut le dater par la langue, commence-t-il. Comme vous le savez, il y a trois grands stades de développement de l'hébreu : il est biblique, comme par exemple, pour la rédaction de la Torah ; quelques siècles plus tard, il sera mishnique, et enfin moderne. La langue utilisée dans le Livre d'Esther est plus proche de l'hébreu mishnique que biblique. Cela veut dire que le texte ne peut être antérieur au IIe ou IIIe siècle avant notre ère. L'histoire se déroule à Suse, une ville qui a réellement existé, située entre le Tigre et l'Euphrate, proche de la ville d'Abadan, au sud-ouest de l'Iran actuel, non loin de la frontière avec l'Irak.

» Voilà ce que l'on peut dire avec certitude sur ce texte. Le reste pose pas mal de problèmes…

— Lesquels ?

— D'abord, le fait qu'on ne le trouve pas à Qumran. Vous savez qu'en 1947 un jeune bédouin découvre, dans des grottes où s'étaient échappées ses chèvres, ce que l'on a appelé les "manuscrits de la mer Morte", des textes fabuleux rédigés entre le IIIe siècle avant notre ère et le Ier siècle de celle-ci. Tous les livres de la Torah sont là… excepté celui d'Esther. Ce qui laisse supposer que, soit la *Meguila* n'existait pas à cette époque – et pourtant, étant donné ce que je vous ai dit, elle *devrait* exister…

— Soit ?

— Soit… Je ne sais pas… Je ne me l'explique pas.

— Ce serait à mettre sur le compte de ce que l'on pourrait appeler… le mystère du Livre d'Esther ?

— Si vous voulez, consent-il avec un sourire. Mais alors, il n'est pas le seul… »

Cet homme est un véritable puits de science. Il connaît tout sur tout. Et ce sont précisément ses connaissances, alliées à un sens certain de la pédagogie, qui le rendent si passionnant ! Comme tous ces chercheurs captivés par leur métier, il a tendance à s'écarter du sujet, à prendre des chemins de traverse, pour nous faire comprendre son propos en totalité. Mais, comme il est remarquablement intelligent, il accepte volontiers les « recadrages » que je lui impose parfois.

« Parce qu'il y a… d'autres mystères ?

— D'abord, le fait que, à la différence de tous les autres textes, Dieu n'apparaît pas dans le Livre d'Esther. Mais il n'y a pas que cela : dans l'état actuel des fouilles et des recherches, aucune mention de cet épisode n'existe en Babylonie. Historiquement parlant, on ne peut relier ce texte à rien de ce que nous savons. Cela veut dire que nous sommes peut-être en présence d'un texte qui a été *composé*, comme un roman, par une ou plusieurs personnes, et qui a un seul objectif...

— Lequel ?

— Glorifier le nom de Dieu ! Ce serait alors un texte apologétique, c'est-à-dire chargé d'une "mission de défense et d'illustration" de la religion.

— Oui, mais là, je ne comprends plus ! Comment glorifier le nom de Dieu si, au contraire de tous les autres livres de la liturgie juive, même Son nom n'est jamais prononcé dans le Livre d'Esther ?

— C'est une très bonne question ! me répond en souriant mon interlocuteur. Je reconnais bien là le journaliste ! »

Voici son explication : jusqu'à la destruction du premier Temple par le roi de Babylonie, Nabuchodonosor, qui provoqua l'exil du peuple juif, il existait à l'intérieur de l'édifice sacré une salle, le Saint des Saints, dans la troisième partie du Temple. Là se trouvait, impalpable, invisible et immatérielle, la *chehina*, littéralement la « présence divine ». « Et ils me feront un sanctuaire dans lequel je résiderai » (Exode 25,8). Une fois par an, le Grand Prêtre avait le droit de pénétrer dans cette salle : le jour de Yom Kippour, ou jour du Grand Pardon, que Dieu a prescrit à Moïse en même temps que les lois divines lors de l'épisode du mont Sinaï. La destruction du premier Temple, en 586 avant notre ère, signifia aussi la destruction de la *chehina*. Voilà pourquoi tous les commentateurs de la Torah estiment que Dieu est bien présent dans le Livre d'Esther mais qu'Il est « caché », qu'Il ne se montre pas comme dans d'autres textes bibliques, qu'Il préfère rester dans l'ombre et se manifester par l'intermédiaire d'autres personnes.

« Ainsi, continue Avraham Malthète, lorsque Esther s'adresse à Assuérus en l'appelant par son nom, c'est bien au roi de Mésopotamie qu'elle parle, mais lorsqu'elle utilise la formule "Ô roi des rois", c'est Dieu qui lui répond.

— Et a-t-on la certitude que le texte que nous avons entre les mains aujourd'hui correspond bien au texte original ?

— Absolument ! Pour une raison précise et qui n'est valable que pour ce livre : il existe un "traité de *Meguila*", c'est-à-dire un recueil de règles pour la célébration de la fête de Pourim, pour la mise en forme du texte et la manière de le lire. C'est un ensemble de codes qui exclut toute possibilité d'erreur dans la retranscription du livre.

— C'est exceptionnel pour un livre de la liturgie juive ?

— Ce n'est pas exceptionnel, c'est unique ! »

L'entretien touche à sa fin. La démonstration a été brillante, mais elle n'a fait que renforcer mes interrogations sur les dernières paroles de Streicher. De toute évidence, il n'a pas choisi n'importe quel texte du judaïsme. En savait-il autant qu'Avraham Malthète ? J'ai peine à le croire, même si nous ne devons pas sous-estimer sa connaissance de la religion juive. Déjà l'épigraphiste se lève, et nous nous apprêtons à le quitter à regret lorsqu'il nous lâche :

« Au fait, vous n'avez pas évoqué la question des petites et des grandes lettres...

— De quoi voulez-vous parler ? lui dis-je en écarquillant les yeux.

— Au vu de votre étonnement, c'est un sujet que vous n'avez pas encore abordé. Je laisse à d'autres, beaucoup plus compétents que moi dans ce domaine, le soin de vous l'exposer. Cela devrait donner du piquant à votre enquête ! » conclut-il dans un grand éclat de rire, nous laissant littéralement étourdis dans la rue où la nuit est déjà tombée.

Le Rav Ariel Gay ressemble à tous les rabbins : costume sombre, chemise blanche, barbe noire fournie et chapeau sur la tête, il doit avoir dans les 35 ans, mais il en aurait 50 que ça ne changerait rien. Seuls les yeux émergent de cette panoplie anonyme : grands, vifs, scrutant l'interlocuteur dans ses moindres détails. Il dirige une école religieuse à Neuilly, réglant les problèmes d'intendance au rythme des prières quotidiennes célébrées dans la synagogue attenante aux salles de classe. Il nous reçoit dans un bureau minuscule, qu'il partage avec sa secrétaire. Le décor est spartiate, sans doute à l'image de l'homme et de sa fonction. Je tiens mon as de pique !

« Pourquoi cet intérêt pour le Livre d'Esther ? »

D'emblée, il pose le cadre de l'entretien qu'il a consenti à nous accorder. Ainsi que je pourrai le vérifier tout au long de cette enquête, ce sont les rabbins qui posent d'abord les questions. Ils veulent savoir qui vous êtes, quelles sont vos intentions, où en sont vos connaissances de l'objet traité, avant de s'engager. C'est seulement après ce rituel qu'ils se livreront... ou pas ! Pour l'heure, nos réponses semblent l'avoir rassuré, et son sourire parvient à se frayer un chemin dans l'épaisseur de la barbe.

« Je ne vais pas vous faire perdre votre temps. Il y a des gens beaucoup plus savants que moi pour vous dater le Livre d'Esther, vous parler de sa typographie particulière, de la notion de "Dieu caché" que l'on trouve dans ce texte. Vous les trouverez, j'en suis sûr. En revanche, je veux bien vous faire partager les études que je mène depuis des années sur un point précis... »

Ariel Gay s'arrête un court instant, en homme qui sait ménager son auditoire. Il a de toute évidence un côté pédagogue qui doit venir de son contact avec les enfants.

« Il est dit, dans les livres de nos sages, que, lorsque arrivera la fin des temps, tous les livres, toutes les fêtes disparaîtront. Toutes, sauf une : Pourim ! C'est la seule qui subsistera.

— Qui l'affirme ? Dans quel texte ? De quelle façon ? »

Mon naturel de journaliste refait surface : je veux des sources, pas d'histoires rapportées de rabbin en rabbin. La réponse ne tarde pas, façon uppercut. Je crois que mon intervention a agacé le rabbin.

« C'est Maïmonide, l'une des plus grandes figures du judaïsme, au point qu'on l'a souvent comparé à Moïse. Dans le *Talmud Yerushalmi*, il est dit que la fête de Pourim restera alors que toutes les autres auront disparu. Un peu plus tard, dans son *Mishné Torah*, Maïmonide affirme que tous les livres tomberont en poussière, excepté le Livre d'Esther.

— Et comment justifie-t-il cette affirmation ?

— Il soutient que Pourim est une expérience humaine qui dépasse toutes les autres. Je vais essayer de vous faire

comprendre... Dans la religion, nous avons trois fêtes importantes qui regorgent toutes de miracles : il y a d'abord Pessa'h,
le récit de la sortie d'Égypte, avec en particulier la séparation
des flots de la mer Rouge... Il y a Chavouot, qui commémore
le don de la Torah sur le mont Sinaï... Et puis Souccot, la fête
des Cabanes, qui vise à rappeler l'errance des enfants d'Israël
sous des tentes, dans le désert, épisode au cours duquel Dieu
a fait descendre la manne du ciel pour nourrir Son peuple.

» Ce sont les trois piliers sur lesquels repose le judaïsme.
Dieu multiplie les interventions surnaturelles pour sauver
Son peuple ou lui rappeler les prescriptions à suivre. Il impose
ainsi Sa présence et Sa toute-puissance aux enfants d'Israël. »

Il s'arrête un instant, essayant de capter dans nos yeux l'écho
de ses paroles. Du côté de Yohan, pas de problème : ils se
connaissent, et il sait que mon ami est pratiquant, que ces
notions de base lui sont familières. Pour ma part, cela fait des
semaines, depuis la rencontre singulière de Yohan à la synagogue, que je tâche de remédier à mon inculture biblique à l'aide
de manuels pour Juifs un peu mécréants... Pour le moment,
en tout cas, ça marche : d'un battement de cils, je fais signe
au Rav qu'il peut continuer sa démonstration.

« Or, à la fin des temps, reprend-il, les miracles seront tels
que la fonction pédagogique de ces trois fêtes-là n'aura plus
raison d'être. Pourquoi prouver l'existence ou la toute-puissance de Dieu puisqu'Il se manifestera au quotidien ?

» C'est déjà le cas à Pourim. Dieu n'apparaît pas. Il n'y a pas
une seule référence à Son existence. Or, on sait qu'Il est là,
que Sa présence est palpable mais qu'Il n'a pas besoin de se
manifester pour affirmer sa puissance.

» Eh bien, Maïmonide soutient que c'est ce Dieu-là dont
nous aurons besoin à la fin des temps. Un Dieu au quotidien,
loin des démonstrations surnaturelles. Un Dieu proche de
l'homme. »

Une pause, et un léger sourire se forme déjà sur ses lèvres :
il sait d'avance qu'il va nous prendre à contre-pied.

« Il y a autre chose qui risque de vous surprendre... À Pourim,
il est recommandé de boire. Parce que la fête correspond à
l'acceptation des lois divines dans la joie. Et parce que l'ivresse
révèle la vraie nature de l'homme. Celui-ci n'est jamais autant
lui-même qu'à Pourim. Voilà ce qui fait la spécificité de cette
fête. Je crois bien que le judaïsme est la seule religion qui recom-
mande l'ivresse à ses fidèles ! »

Et voilà que, tout à coup, Ariel Gay éclate de rire, le corps
secoué de spasmes, pas mécontent de sa trouvaille et de la
perplexité qu'elle déclenche chez ses interlocuteurs, à mi-chemin
entre la vérité biblique et la provocation.

Je risque quand même une ultime question, encouragé par les
dernières réflexions de mon as de cœur, Avraham Malthète...

« Et les petites et les grandes lettres ?

— Ah, je vois que vous êtes au courant... Mais je ne suis pas
le meilleur dans ce domaine. Vous avez prévu de rencontrer
le Rav Bloch ? »

La question s'adresse à Yohan plus qu'à moi. Nos regards se
tournent vers mon ami. Nullement gêné, celui-ci répond que
oui, nous allons le voir d'ici à une semaine, lors du prochain
voyage à Paris du Rav, et que cette question sera au cœur de
l'entretien que nous aurons avec lui.

« Alors, je crois que vous n'avez plus besoin de moi, dit Ariel en
se levant. Je vous souhaite bonne chance dans votre enquête ! »

Le visage fermé, je prends congé du Rav et j'attends d'être
sur le trottoir pour laisser éclater ma colère. Qu'est-ce que c'est
que ces sous-entendus ? Tout le monde semble être au courant
de quelque chose dont moi je ne sais strictement rien ! J'en ai
assez de ces petites lettres et grandes lettres que l'on évoque
avec des airs de conspirateurs ! J'ai le sentiment extrêmement
désagréable d'être manipulé...

« Je comprends ta colère, commence calmement Yohan. J'aurais dû te prévenir, mais je voulais que tu termines ton parcours... d'initiation, sans intervention de ma part. Fais-moi confiance encore quelques jours. Et lorsque tu auras vu le Rav Bloch, tu en sauras davantage. À ce moment-là nous ne serons pas trop de deux pour mener à bien l'enquête ! »

Au cours d'une enquête, il y a toujours des instants de découragement, d'interrogations et de doutes. Le travail de recherche fait en amont se heurte ainsi à la réalité du terrain, créant des situations que l'on n'avait pas prévues. Tous les enquêteurs, les journalistes et d'une manière générale tous les chercheurs connaissent ce sentiment lorsque rien ne va plus et qu'un élément bloque obstinément tout espoir d'avancée. Yohan m'avait longuement parlé de ses difficultés, de ses attentes déçues, de ses théories qui s'effondraient comme un château de cartes au souffle d'un vent venu d'on ne savait où.

Or, depuis que je m'étais lancé dans cette aventure, je n'avais rien connu de semblable. Tout s'était enchaîné comme je l'avais prévu, sans heurt ni surprise, sans élément de dernière minute venant remettre en cause des journées de travail. J'étais comme porté par une vague douce et lisse qui, pour le moment, promettait de me mener à bon port. En tout cas, j'étais loin de cette excitation qui animait mon ami lorsque je l'avais rencontré. Mais, et là aussi c'est une constante, il suffit parfois d'évoquer le problème pour qu'il se matérialise...

Yohan pensait qu'une rencontre avec une autorité religieuse était indispensable à ma « formation ». « Ta démarche est légitime. Tu dois obtenir la position officielle du rabbinat sur le Livre d'Esther, avait-il insisté. D'autant que nous avons la chance d'avoir quelqu'un de brillant à sa tête. » Je connaissais Gilles Bernheim de réputation. Agrégé de philosophie, marié à une psychanalyste, fermement engagé dans le dialogue interreligieux, c'est un véritable intellectuel qui est devenu grand rabbin de France le 1er janvier 2009. Réfutant le qualificatif de « libéral », il s'est pourtant toujours montré ouvert au monde extérieur, déclarant lors d'une interview : « Si un discours religieux s'adresse à certaines personnes et qu'il n'est pas audible par d'autres, nous ne sommes pas dans le lien social, mais dans le particularisme. La grandeur d'une religion réside dans sa capacité non pas de conviction, mais de donner à penser à ceux qui ne croient pas en cette tradition. » Le type même de credo qui galvanise l'esprit et promet des échanges passionnants sur le plan des idées. Que pense-t-il du personnage d'Esther, de sa place dans la religion juive, quel regard porte-t-il sur la figure d'Aman, quelle philosophie tire-t-il de cette histoire incroyable ?

Mon premier contact avec son assistant n'est pas d'une franche convivialité. Au ton de sa voix, aux silences qui suivent mes explications, je sens immédiatement que je dérange. Mon interlocuteur m'encourage à adresser mon projet par e-mail en me prévenant que ma demande va être difficile à satisfaire. Pourquoi pas, me dis-je pour me rassurer : ces gens sont sans cesse sollicités, il est naturel qu'ils se renseignent soigneusement avant toute décision. D'ailleurs, le lendemain, je reçois une avalanche de questions par retour de courrier électronique : qui sont les personnalités interviewées dans le livre, quelles sont les questions précises que je souhaiterais poser, y a-t-il une fondation ou une organisation qui finance mon projet, quel est mon éditeur, quand doit paraître le livre... ? Consciencieusement, je donne toutes les informations dont je dispose, confiant dans ma démarche. Yohan sourit, amusé par la situation, pas mécontent de voir mon assurance battue en brèche à propos d'un entretien qui paraissait facile à obtenir. Trois semaines vont ainsi passer, entre e-mails et coups de téléphone, avant que la décision ne tombe :

« Désolé, me dit l'assistant de Gilles Bernheim, le grand rabbin ne pourra pas vous recevoir. Beaucoup de rendez-vous, des choses importantes à régler…

— C'est parce que l'entretien porte sur le Livre d'Esther ?

— Pas du tout ! Ça n'a rien à voir !

— Je n'avais aucune question piège, vous savez…

— Mais puisque je vous dis que ça n'a rien à voir ! »

Ce n'est rien. Juste une intonation un peu plus forte que les autres. Mais l'agacement est bien là, et je commence à penser que ce projet sent un peu le soufre.

« D'ailleurs, pour vous assurer de sa bonne volonté, il se propose d'écrire une préface à votre livre… S'il lui convient, bien évidemment.

— Vous voulez dire que le grand rabbin aura le temps d'écrire une préface mais qu'il n'a pas une demi-heure à m'accorder ?

— La préface, c'est seulement si le livre lui plaît… »

J'abandonne. Yohan est hilare. L'as de trèfle a refusé de montrer son jeu.

Novembre avait attendu son dernier jour pour enfin se révéler : vent fraîchissant, pluie cinglante et nuages bas que ne dissiperait nul soleil avant des semaines. On avait ressorti manteaux et parapluies, rassurés : tout allait bien, nous avions enfin retrouvé un temps de saison qui éloignait de nous le spectre du réchauffement climatique.

Et j'attendais.

Cela faisait huit jours que je me préparais à rencontrer l'homme qui avait fait basculer la vie de Yohan, celui qui allait me donner les clés de la connaissance, le sésame pour faire le lien entre une histoire vieille de 2 300 ans et les dernières paroles d'un condamné à mort à Nuremberg en 1946. Il était de passage à

Paris, où il devait animer un séminaire sur les prophéties de la Torah, son domaine de prédilection. Pour dire la vérité, et bien que le judaïsme soit à l'opposé de ce type de pratique, je craignais de me trouver face à un prédicateur maniant avec brio l'art de galvaniser son auditoire afin d'insuffler la parole divine, à la manière de ces pasteurs évangélistes qui font des ravages à travers le monde. Je m'y étais préparé malgré les dénégations de Yohan. Selon lui, l'homme que nous allions rencontrer était avant tout quelqu'un qui avait voué sa vie à l'étude et à ses élèves : il était à la tête d'une *yeshivah* à Jérusalem, n'acceptait que très rarement de partager ses recherches. Lorsqu'il le faisait, c'était afin de récolter des fonds pour sa petite communauté en Israël. Je préférais fourbir mes armes – m'aidant d'éléments glanés dans un examen approfondi du Livre d'Esther et dans la lecture de différents textes relatifs à la Bible. En fait, je comptais surtout sur ma longue expérience d'interviewer et mon « flair » de journaliste pour m'orienter face à mon interlocuteur.

Je me sentais tel un boxeur au moment de monter sur le ring et de livrer le combat de sa vie lorsque, à quelques heures de la rencontre, Yohan m'appela.

« Désolé, me dit-il, le Rav Bloch est obligé d'annuler. Il doit raccompagner, tard dans la soirée, son frère à l'aéroport, son séminaire l'a épuisé, et il reprend l'avion demain pour Tel-Aviv.

— Et alors, qu'est-ce qu'on fait ?

— Il revient dans un mois. Il propose que l'on se voie à ce moment-là.

— Je n'attendrai pas si longtemps, répondis-je, frustré et légèrement en colère. J'ai besoin sinon de le voir, du moins de lui parler ! Maintenant... Demain... Vite !

— Eh bien, appelle-le ! Rien de plus simple ! Je te donne son numéro à Jérusalem, laisse passer vingt-quatre heures, le temps qu'il se remette de son voyage, et il pourra répondre à toutes tes questions ! »

Le Rav Bloch allait faire beaucoup mieux que cela.

La voix est posée, les mots bien choisis, il déroule ses phrases sans accroc et n'hésite pas, au détour d'une question, à se faire plus précis, balayant les doutes, utilisant des concepts aussi tranchants que le verre : j'ai trouvé mon as de carreau !

D'emblée, il me demande si je possède Skype sur mon ordinateur. « J'aime bien voir le visage de mon interlocuteur, me dit-il, cela m'aide à développer ma pensée. » Un Rav high-tech ? En réalité, une véritable publicité ambulante pour Apple. Il m'explique, dans la foulée, que nous allons devoir passer par son iPhone, son iPad étant de la première génération et ne possédant donc pas de caméra. En deux phrases, il vient d'envoyer définitivement aux oubliettes l'image du vieux rabbin trônant dans sa bibliothèque, dépoussiérant ses livres en édition originale dont il tourne les pages en humectant son doigt. Abraham Bloch me confie que l'informatique a changé sa vie et celle de nombreux chefs religieux : « Les 3 500 pages du Talmud ne me quittent plus, sans parler de cet instrument extraordinaire que représente l'index électronique. Je ne pourrais plus me passer de ces outils ! » Il a 46 ans, est issu d'une famille traditionnelle dont le père est strasbourgeois et la mère corse d'origine turque. Petites lunettes cerclées d'or, des yeux en perpétuel mouvement, cheveux noirs et barbe sombre taillée en pointe : si les instruments dont il se sert appartiennent au XXIe siècle, son apparence physique semble vissée au XIXe. Je l'aperçois assis dans ce qui doit être son bureau, vêtu d'une chemise blanche et d'un gilet noir, car en cette saison les nuits sont froides à Jérusalem.

« Avant toute chose, dites-moi votre niveau...

— D'hébreu ? Nul !

— Non, de judaïsme.

— Disons... médiocre. Je connais l'essentiel, mais seulement dans les grandes lignes.

— O.K. ! Ainsi, lorsqu'il y aura un terme technique, je vous l'expliquerai.

— Ou je vous interromprai pour que vous me l'expliquiez.

— Parfait ! Alors on y va ! Dites-moi d'abord si vous avez rencontré des gens qui vous ont daté le rouleau, la *Meguila* d'Esther...

— Oui, Avraham Malthète, le paléographe.

— Excellent !

— Il a également évoqué la question du Dieu caché.

— Il a bien fait ! Cela me facilite la tâche. On vous a aussi parlé de Maïmonide ou de Rambam ? Il s'agit de la même personne, "Maïmonide" étant utilisé par les chrétiens et "Rambam" par les Juifs.

— Oui, le Rav Gay s'en est chargé. Il nous a expliqué pourquoi Maïmonide pensait que Pourim est la seule fête qui subsistera à la fin des temps.

— Je vois que vous avez bien travaillé ! Il me reste à vous raconter le plus mystérieux, le plus troublant. Ce que certains considèrent comme un anachronisme... Ainsi que l'énigme des petites et des grandes lettres. »

Nous y voilà ! J'allais enfin savoir ce que Yohan refusait de me dire depuis le début, préférant que mon apprentissage se fasse par paliers, sans brûler les étapes. Mais auparavant, un mot m'avait fait sursauter... « Anachronisme » ? Quel anachronisme ?

À travers ses explications, je comprends qu'il s'agit d'un passage du Livre d'Esther qui m'avait surpris sans que j'y accorde beaucoup d'importance. Alors qu'Aman et ses enfants ont déjà été pendus, Esther rencontre le roi pour la troisième fois. Dès qu'il aperçoit sa bien-aimée, Assuérus lui demande, comme il l'avait fait lors de leur précédente entrevue, d'émettre à nouveau un souhait qu'il exaucera sur-le-champ.

« Ô roi, dit-elle, que l'on pende les dix enfants d'Aman ! »

Or, ceux-ci ont été pendus la veille ! Pourquoi émettre un vœu déjà exaucé ? Sur le moment, et sans chercher d'autre explication, j'avais mis cette répétition anachronique, comme l'avait sans doute fait ma mère, sur le compte d'une erreur d'impression : mon exemplaire de la *Meguila* d'Esther est un opuscule bon marché, pollué de multiples publicités vantant les mérites des différents sponsors ayant participé à sa fabrication. Et voilà que le Rav Bloch m'explique que cette erreur n'en est pas une, que nous sommes, au contraire, en présence d'un passage clé du livre.

« Vous voulez dire qu'il ne s'agit pas d'une répétition... ou d'une erreur d'impression ?

— En aucun cas ! On vous a expliqué que, à côté de la *Meguila*, il existait un traité de la *Meguila* qui codifie le texte et interdit toute erreur dans sa retranscription... Non, personne ne s'est trompé ! En revanche, j'attire votre attention sur le fait que, à ce moment-là de l'entrevue, Esther s'adresse à Assuérus en utilisant la formule : "Ô roi"... Cela veut dire...

— ... qu'elle s'adresse à Dieu !

— Tout juste ! Alors, réfléchissez deux minutes... Voilà une femme courageuse qui est devant Dieu et qui peut Lui demander ce qu'elle veut – "Fais un vœu et je l'exaucerai". Elle pourrait Lui demander des montagnes de bijoux, de bracelets d'or et de diamants... En tant que Juive, elle pourrait Lui demander la reconstruction du Temple de Jérusalem, c'est-à-dire la fin de l'exil du peuple juif... Elle pourrait même Lui demander, vœu suprême, la venue du Messie sur la Terre... Mais non ! Elle Lui demande que l'on pende les enfants d'Aman !

— Mais ils sont morts !

— Exact ! Il faut donc prendre ce qu'elle dit au premier degré : elle demande à Dieu de pendre les cadavres des enfants d'Aman ! Les cadavres ! C'est tout simplement inimaginable ! On nage dans la morbidité la plus absolue ! Quoi ? Esther serait une Catherine de Médicis avant l'heure ? Non... Ce n'est pas du tout dans la tradition du judaïsme, c'est même à son opposé! Tout au long de la Torah, vous allez trouver des citations contraires à la demande d'Esther. Par exemple, attendez... Je vais trouver la référence sur mon iPad...»

Et je vois le Rav Bloch se saisir de sa tablette numérique, taper quelques mots, et la brandir en signe de succès.

«Voilà... "Quand tes ennemis tomberont, ne te réjouis pas de leur défaite ou de leur mort!" *Mishné Torah* chapitre 24, verset 17. Et il y en a des centaines comme cela!

» Comprenez-moi bien : ce que je vous dis n'est pas nouveau. Cette question agite tous nos érudits depuis deux mille ans! Et le seul point sur lequel tout le monde se retrouve est le suivant : cette demande d'Esther est capitale, fondamentale. Elle a autant de valeur que la reconstruction du Temple ou la venue du Messie! Alors, pourquoi? Que veut-elle nous dire?... C'est un véritable séisme qui secoue depuis des siècles l'esprit de nos sages : Esther se trouve face à Dieu et Lui demande de pendre les cadavres des enfants d'Aman!

— Et vous avez une explication?

— Oui... Mais laissez-moi auparavant vous exposer le deuxième mystère du Livre d'Esther...

— Vous voulez parler des fameuses lettres?

— Tout à fait! Une remarque préliminaire : dans tous les textes de la Torah, il existe quantité de mots écrits comportant une lettre plus petite ou plus grande que les autres. C'est quelque chose de très commun!

— Et ces différences de taille entre les lettres ont un sens...

— Elles ont toutes un sens! Soit il s'agit d'une indication d'ordre liturgique, soit elles font référence à un commentaire explicatif délivré par l'un de nos érudits au fil des siècles.

— Et dans le Livre d'Esther?

— Rien! Pas une seule explication logique, pas un commentaire judicieux, pas l'ombre d'une indication... Le brouillard le plus total ! Et, là encore, cela fait deux mille ans que cela dure – ou *durait*, mais nous verrons cela plus tard… À vrai dire, il n'y en a qu'un qui ait risqué une explication globale, l'un de nos plus maîtres les plus respectés : le Gaon de Vilna, qui a vécu au XVIIIe siècle. Il a l'intuition que toutes ces anomalies de lettres dans la *Meguila* ont un lien avec les guerres que nous imposent nos ennemis.

— Quelles sont ces lettres ?

— Attendez… Je ne veux pas faire durer le suspense, mais je dois vous préciser le cadre dans lequel s'inscrivent ces anomalies. Elles interviennent dans l'énoncé des prénoms de trois des dix enfants d'Aman. Et là, il se produit quelque chose de tout à fait remarquable dans la forme du texte.

» Je m'explique : avant ce passage, le rouleau se compose de dialogues et de paragraphes compacts racontant l'histoire d'Esther. La forme relève du plus pur classicisme. Or, lorsqu'il s'agit de nommer les enfants d'Aman, le texte prend une autre allure : il est composé en colonnes, comme si le scribe avait utilisé, au début, un traitement de texte normal avant d'introduire un nouveau logiciel, type Excel, pour écrire ce passage précis. Résultat : nous avons l'énoncé des dix enfants d'Aman, l'un au-dessus de l'autre, précédés, sur une autre colonne, d'un mot hébreu que l'on pourrait traduire par : "Et puis, il y a aussi…"

— Et qu'est-ce que vous en déduisez ?

— Que la forme a un lien avec le fond. C'est unique dans tous les livres qui composent la Torah ! On a voulu établir une correspondance entre la forme graphique et la façon dont les choses se sont passées. Pourquoi ? Il y a forcément une raison ! Rien, dans la Torah, n'est dit, écrit ou représenté sans qu'il y ait un sens que nous devons découvrir à la force de l'étude !

— Et vous l'avez découvert ?

— Oui... Mais à présent je vous invite à considérer les dix noms des enfants d'Aman. Pour un œil averti, quatre anomalies sont manifestes.

» Prenez le troisième nom : "Parshandata"... La sixième lettre du nom, le *tav*, est plus petite que les autres...

» Maintenant, examinez le septième nom : "Parmashtah"... Sa quatrième lettre, le *shin*, est écrite en petit caractère.

» Enfin, le dernier nom de la liste : "Vaïzata"... La troisième lettre, le *zayin*, est plus petite que les autres alors que la première, le *vav*, est beaucoup plus grosse !

— Et là encore, pas d'explication...

— Aucune ! Comme pour le reste des anomalies du livre ! Et là, il faut reconnaître que la tâche est beaucoup plus ardue, car nous sommes en présence de noms babyloniens... Je veux dire que la structure de la langue ou ses racines peuvent nous servir à décrypter un nom commun... Pas un nom propre !

— Écoutez... Cela fait près d'une heure que j'ai l'impression d'être sur un gril, attendant la délivrance. On va arrêter là la séance de torture. Vous avez réussi à percer ces mystères...

— Pas moi ! Quelqu'un qui vit tout près de chez moi à Jérusalem. Un homme brillant, d'une prodigieuse culture, un historien. Il a trouvé la clé que tout le monde cherchait depuis deux mille ans.

— Et quelle est cette clé ? »

Un immense sourire illumine son visage.

« Je m'attendais à cette question ! Mais je crains que Skype soit inapproprié pour dévoiler ce genre de mystère. Il va falloir venir nous voir en Terre promise. Vous ne le regretterez pas. Ce que vous y apprendrez va bien au-delà de ce que vous pouvez imaginer... Je vous attends à dîner la semaine prochaine ? »

III

Rencontres à Jérusalem

L'effervescence de la première heure s'est transformée en une légère torpeur parmi les passagers. La plupart somnolent ou feuillettent des magazines, histoire de rafraîchir leurs connaissances sur les événements de la « planète people ». Pas moi. Dans deux heures, nous arrivons en Israël et – si les choses se déroulent comme je l'espère – je devrais connaître enfin la solution de toute cette énigme.

« Tout va bien ? »

Assis à mes côtés, Yohan exulte. Il ne s'est pas rasé depuis trois ou quatre jours et affiche un sourire radieux. Ce voyage, c'est une victoire pour lui, la preuve que ses recherches n'ont pas été vaines, le début d'une réhabilitation après des années de galère, de railleries et de vexations. Et je sais que le fait de se retrouver avec moi dans cet avion le rassure et le conforte dans ses convictions.

« Tu comprends mieux maintenant pourquoi tu devais faire ce chemin tout seul ? Il fallait que tu découvres par toi-même ce qui m'avait demandé des années de travail, que tu en tires tes propres conclusions et que tu décides, à ton tour, de la suite à donner à cette histoire... Désormais, nous sommes à égalité, tu en sais autant que moi. Enfin, presque... Mais dans deux jours, ce sera le cas... »

Après Nuremberg, après ma rencontre avec trois des figures de mon « Carré d'as », il était devenu évident que nous n'avions pas le choix. Si nous voulions poursuivre, lui sa quête et moi, mon enquête, nous devions faire le voyage à Jérusalem. C'était comme un saut dans l'inconnu, avec son cortège d'impatience, d'excitation et d'angoisse, que j'essayais d'adoucir par la réflexion et l'analyse.

« Précisément... Qu'est-ce que l'on sait aujourd'hui ? On a un type, un nazi que tout le monde décrit comme "dégoûtant". Il s'appelle Julius Streicher et il est condamné à mort par le tribunal de Nuremberg. Et juste avant d'être pendu, à la surprise générale, ce type crie : "C'est Pourim 1946 !"...

— On a d'autre part un texte vieux de 2 000 ans, poursuit Yohan, considéré par tous les docteurs de la foi comme un livre à part, le seul qui restera à la fin des temps, où le nom de Dieu n'apparaît jamais et qui semble receler de nombreux mystères... Et, pour une raison que nous ignorons, il semble qu'il existe un lien entre le Livre d'Esther et le procès de Nuremberg.

— ... et nous sommes en route pour essayer de décrypter ce qui paraît être un code et résoudre un anachronisme.

— Mieux que ça, s'écrie Yohan, les yeux brillants. Nous allons voir le maître en la matière, celui qui possède la solution, celui qui va nous guider ! Et nous n'avons pas choisi n'importe quelle période pour aller à Jérusalem : nous allons y célébrer... Pourim ! C'est là que tout a commencé ! »

À l'évidence, notre démarche est différente. Je préfère, pour le moment, penser que notre association est un gage de succès : les connaissances religieuses de Yohan alliées à mes méthodes d'investigation devraient nous conduire sinon à la Vérité avec un « V » majuscule, du moins à une meilleure compréhension du mystère auquel nous sommes confrontés.

La nuit est à présent tombée et Yohan est perdu dans ses réflexions spirituelles. Pour passer le temps, j'examine les passagers qui m'entourent, essayant d'identifier les agents de sécurité qui accompagnent incognito chaque vol d'El Al afin de répondre à tout acte de terrorisme. Je sais pourtant, par expérience, que l'emploi ne détermine pas le physique, et que derrière cet homme musclé qui semble somnoler, de l'autre côté de l'allée centrale, avec à la hanche un boursouflement qui pourrait bien receler une arme, ne se cache pas forcément un membre du Mossad. La présence de ces hommes (ou de ces femmes) ainsi que le blindage de la carlingue garantissent en tout cas à la compagnie un taux de remplissage exceptionnel sur tous ses trajets. Et tant pis si, durant des années, les vols d'El Al étaient un peu plus longs que les autres en raison du refus d'un certain nombre de pays arabes de laisser la compagnie israélienne survoler leur territoire. Dans les années 1970, la compagnie était même entrée dans le Guinness des records avec un vol Tel-Aviv-Johannesburg qui obligeait les pilotes à effectuer vingt-cinq changements de cap pour éviter de pénétrer dans les espaces aériens de la Syrie ou de l'Irak. Avec sa durée de seize heures et une rallonge de 3 200 kilomètres par rapport à la route normale, ce trajet était considéré comme le plus aberrant de toute l'histoire de l'aéronautique.

On distingue déjà les lumières de Tel-Aviv. Dans quelques minutes, l'avion va se poser sur la piste de l'aéroport Ben Gourion. Déjà, dans la cabine, des prières d'action de grâces s'élèvent qui forcent Yohan à ouvrir les yeux.

« Et maintenant, me lance-t-il avec un sourire complice, à nous de jouer ! »

L'aéroport s'est considérablement modernisé depuis mon dernier voyage en Israël : structures, lumières, écrans plasma d'indications horaires, tout va désormais beaucoup plus vite, avec un vrai sens de l'efficacité. Ce qui n'a pas changé, en revanche, ce sont ces quelques voyageurs qui, sitôt débarqués, baisent le sol de la Terre promise. Sans doute un premier voyage, la concrétisation d'un vœu ou une réelle émotion : si nous l'avions oublié, ces démonstrations de foi viennent nous rappeler que nous avons atterri dans un pays très singulier.

« Combien de temps comptez-vous rester en Israël ? »

L'officier de police examine mon passeport constellé de visas. Il doit avoir une quarantaine d'années, il est brun, impeccable dans sa chemise blanche galonnée.

« Une semaine… Dix jours tout au plus.

— Tourisme ? »

Il me pose la question en relevant son visage. Ses yeux sont verts, transparents. Et perçants. On ne voit que ça en lui. Je devrais répondre « oui » et l'affaire serait réglée. Par bravade ou inconscience, je lui lance :

« Tourisme oui… Mais avec quelques questions à l'esprit. »

Est-ce mon angoisse inhérente à ce voyage ? Ou alors le ton de ma voix empreint de préoccupation et de sincérité ? Un large sourire envahit alors son visage, et pendant qu'il tamponne mon passeport il me lance :

« Ne vous en faites pas… Vous repartirez avec des réponses ! *Welcome to Israel!* »

Le jour est à peine levé lorsque Yohan frappe à ma porte pour me réveiller. Il m'annonce d'emblée qu'il a une bonne et une mauvaise nouvelle. La mauvaise, c'est que le Pr Neugroschel, notre sésame pour le décryptage de la *Meguila*, ne peut pas nous recevoir avant demain soir. La bonne, c'est que Jérusalem fête aujourd'hui Pourim et que nous partons dans moins d'un quart d'heure écouter la lecture du Livre d'Esther au mur des Lamentations, au « Kotel », comme il dit.

Je n'ai pas vraiment le temps de m'appesantir sur le contre-temps. Il faut vite prendre une douche, m'habiller et courir le ventre creux vers la Vieille Ville. Yohan a déjà repéré un raccourci : une galerie marchande, hymne à la société de consommation, construite avec de vraies pierres blanches de la Ville sainte que l'on a numérotées pour mieux les démonter et les assembler, et qui débouche sur la citadelle de David.

À cette heure, les ruelles sont désertes. Les magasins du souk sont encore fermés, et nos pas résonnent sur les dalles glissantes qui descendent vers le mur. Seuls quelques petits vendeurs de pain ont pris place aux endroits stratégiques et donnent de la voix pour encourager les rares passants à goûter leurs galettes chaudes à peine sorties du four. Les voûtes sont noires, crasseuses, encombrées de fils électriques et « truffées de caméras et de micros, me glisse Yohan, pour mieux surveiller les alentours du Kotel ». À chaque croisement, des hommes se pressent, le livre de prières à la main, souvent accompagnés d'enfants encore tout ensommeillés. Nous sommes bientôt une vingtaine à nous présenter devant le portillon de sécurité que gardent deux policiers avant de déboucher sur l'esplanade.

Et, brusquement, à l'étroitesse et à l'obscurité des ruelles succèdent l'espace et la lumière aveuglante du parvis, une immense dalle pavée de pierre claire qui conduit à l'unique vestige du deuxième Temple, considéré par les Juifs comme l'endroit le plus saint du judaïsme. Le soleil n'a pas encore touché la muraille blanche trouée çà et là par quelques herbes folles qui ont réussi à se frayer un passage dans les interstices entre deux blocs. Mais, même à l'ombre, c'est une masse minérale qui éblouit et impressionne par sa longueur (57 mètres) et qui écrase par sa hauteur (18 mètres).

Combien sont-ils à psalmodier ? Deux cents, peut-être trois cents, répartis en petits groupes agglutinés autour d'un récitant qui scande le Livre d'Esther, surveillé de près par les autres – « S'il se trompe, me glisse Yohan, et que les autres s'en aperçoivent, il faut tout recommencer. En plus, à Pourim, la religion commande à chacun d'écouter au moins deux fois l'histoire de la reine Esther ». Il y a là les hassidiques, avec leurs longues tuniques noires satinées, les lituaniens et leurs toques de fourrure sur la tête, les hiérosolymitains, établis depuis des générations à Jérusalem, avec leurs caftans beiges, et puis beaucoup de redingotes noires et de chapeaux à large bord, uniforme distinctif des orthodoxes et de tant d'autres ramifications du judaïsme, unis dans une même ferveur, enveloppés dans leur châle de prière. À de rares exceptions près, ils portent tous la barbe et les papillotes, qui tombent, pour certains, au niveau des épaules telles des anglaises que l'on aurait passées au fer à friser. Ils respectent ainsi à la lettre une prescription rabbinique : « Vous ne couperez point en rond les pointes de votre chevelure et tu ne raseras point les coins de ta barbe », afin de ne pas imiter les peuplades païennes et idolâtres qui avaient coutume de se raser les joues et les tempes. Leur livre de prières en main, ils balancent leur corps au rythme de leur supplique pour hâter le transport de l'esprit vers Dieu. Les pieds joints, on plie les genoux, on incline le buste d'avant en arrière « parce que les Juifs sont à l'image des roseaux, me souffle Yohan, ils plient mais ne rompent pas ». Parfois la voix se fait plus forte, provoquant une accélération du mouvement, et c'est comme une immense vague blanche d'écume qui ondulerait devant cet implacable mur de granit renvoyant l'écho de leurs prières.

Et puis, il y a des militaires, mitraillette en bandoulière, les mains sur les pierres polies du Kotel, comme pour mieux les sentir et leur transmettre plus rapidement la sincérité de leur prière. Enfin, Pourim oblige, des dizaines d'enfants s'égaillent sur l'esplanade, déguisés en soldats romains, en émirs ou en chevaliers, imaginant des batailles contre le redoutable Aman dont ils sortiront toujours vainqueurs. Ils jettent parfois un regard furtif vers l'espace réservé aux femmes – séparées des hommes par une série de paravents –, où trônent des reines Esther en miniature vêtues de longues robes en tulle blanches ou bleues.

« Alors ? m'interpelle Yohan avec un large sourire.

— C'est vraiment magnifique, et en même temps assez… surréaliste ! J'ai pour l'instant du mal à établir la connexion entre ce que nous voyons, Julius Streicher et Nuremberg…

— Ne te pose pas trop de questions. Ouvre les yeux et enregistre tout ce que tu vois. Dis-toi simplement que ces gens célèbrent un événement vieux de 2 300 ans qui a bien failli marquer la disparition d'un peuple. Tu as devant toi ce que Streicher a rêvé de voir disparaître et dont il a pressenti le regain au moment de sa mort. »

Instinctivement, le temps d'un éclair, j'essaie d'imaginer Streicher, en ce jour de Pourim, devant le mur à Jérusalem… L'image me fait sourire, mais je n'y arrive tout simplement pas : elle est trop fantasque, trop éloignée de la réalité, trop déconnectée de ce spectacle vivant qui se déroule devant nous… Des cris et des huées s'échappent à présent des petits groupes de fidèles : l'officiant doit avoir prononcé le nom fatidique d'Aman, conspué systématiquement par l'assemblée. J'ai à peine le temps d'avoir une pensée pour les repas de Pourim autour de ma mère qu'un homme s'approche de nous. La soixantaine, les cheveux poivre et sel, son châle de prière sur les épaules, il nous explique, avec un léger accent rugueux, qu'il nous a entendus parler français et se demandait si nous avions besoin d'aide ou d'explications sur le Kotel. Déclinant poliment son offre, nous engageons une discussion au cours de laquelle il nous apprend qu'il a toujours son passeport français, que ses parents ont émigré en Israël alors qu'il n'avait qu'une dizaine d'années, qu'il a fait son service militaire dans le pays et qu'il est aujourd'hui officier de réserve.

« À quel moment avez-vous fait votre armée ? demande Yohan.

— Entre 1972 et 1975, répond Ariel – c'est le nom hébreu qu'il a pris lorsqu'il est arrivé ici.

— Ce qui signifie que... commence Yohan.

— ... j'ai fait la guerre du Kippour, oui ! » complète l'homme.

Le 6 octobre 1973, une coalition formée par l'Égypte et la Syrie attaque par surprise Israël. Pendant plusieurs jours, bénéficiant d'une supériorité numérique écrasante, les armées arabes avancent dans la péninsule du Sinaï et sur le plateau du Golan. La situation semble alors désespérée pour l'État hébreu. Au bout d'une semaine d'intenses combats, l'armée israélienne parvient à stopper l'avance des troupes ennemies avant de retourner la situation. Lorsque le cessez-le-feu intervient, le 23 octobre, Tsahal n'est plus qu'à quelques kilomètres du Caire et de Damas.

« Ça a été l'une des périodes les plus difficiles de ma vie, se souvient Ariel, et en même temps, l'une des plus riches sur le plan spirituel... »

Il fait cette remarque à voix basse, avec un voile de nostalgie dans les yeux. Je décide d'intervenir :

« Comment en ces temps de guerre pouviez-vous vivre l'une des périodes les plus riches de votre vie sur le plan spirituel ? »

À quelques dizaines de mètres, le nom d'Aman est à nouveau conspué alors que le soleil commence à toucher les plus hautes pierres du Kotel. Ariel s'ébroue, sourit en baissant la tête puis se redresse en gonflant la poitrine. Manifestement, il a décidé qu'il pouvait – au moins un peu – se dévoiler.

« Pour répondre à cette question, il faut que je vous raconte une histoire... Vous avez le temps ?

— Tout le temps que vous voulez !

— C'est une histoire qui circule en Israël et que racontent volontiers les étudiants de *yeshivot*, d'écoles religieuses. Vous vous souvenez du début de la guerre ? Les Arabes étaient mille fois plus nombreux que nous. Ils avaient cent fois plus de tanks que nous, d'avions, de canons, de mitraillettes. Ils étaient certains de gagner la guerre. Du reste, pendant quelques jours, ils ont cru qu'ils l'avaient gagnée, et nous, nous pensions qu'Israël allait être rayé de la carte... Et pourtant, cette guerre, ils l'ont perdue ! Et vous savez pourquoi ? Les Arabes étaient de bons soldats. Ils étaient courageux. Eux aussi croyaient en Dieu. Et pourtant, ils ont perdu la guerre ! »

Ariel marque une pause. Il nous prend par le bras et nous dirige vers une zone d'ombre, plus calme, où il pourra continuer son récit.

« Comment expliquer une chose pareille ? reprend notre nouvel ami en nous regardant dans les yeux.

— Un miracle ! se risque Yohan.

— La volonté de se battre pour la survie d'un peuple et d'un pays, rectifié-je. C'était une question de vie ou de mort pour les Israéliens. Pas pour les Arabes.

— Je vois que j'ai devant moi un croyant et un cartésien, répond Ariel en éclatant de rire. Vous avez tous les deux raison... Mais, en l'occurrence, l'un d'entre vous s'approche un peu plus de la vérité que l'autre. Laissez-moi vous expliquer... Prenons le miracle... Les Arabes comme les Israéliens sont des fils de Dieu. Pourquoi Dieu choisirait-Il les uns plutôt que les autres ?

— Parce que les Juifs constituent le peuple élu ! répond Yohan, un voile de fierté dans la voix.

— Pas du tout ! rétorque notre interlocuteur. C'est la prière qui a fait la différence, la prière ! Au bout de la première semaine de guerre, nous étions tous persuadés que la fin d'Israël était proche. C'est alors que, dans tout le pays, des hommes se sont mis à prier. Jour et nuit, ils priaient dans les sous-sols de toutes les synagogues, dans toutes les *yeshivot*. Ils priaient sans distinguer la lumière du soleil de l'obscurité de la nuit. Ils ne s'arrêtaient même pas pour manger. Ils priaient et se balançaient d'avant en arrière, en hurlant leur désespoir. Certains disent même que l'éclat de leurs voix et le balancement de leur corps ont dû donner des maux de tête à Dieu !

— Dieu les a entendus ? lance Yohan.

— Dieu, je ne sais pas… Mais le gouvernement israélien, oui ! Alors qu'on avait besoin de tous les hommes sur tous les fronts, le gouvernement de l'époque a décidé d'autoriser les soldats qui le souhaitaient à délaisser temporairement leurs armes pour la prière. Et là, c'est une clameur générale qui s'est élevée dans le pays. C'est à ce moment-là, disent les étudiants religieux, que Dieu a choisi entre les deux peuples et qu'Il a décidé de l'issue de la guerre. Vous avez un mot pour expliquer ça en français ? »

C'est la première fois que l'on me raconte la guerre du Kippour de cette façon. Et le fait que cet homme, que nous ne connaissions pas il y a seulement une demi-heure, nous livre cette version des faits dans ce lieu inouï qu'est l'esplanade du mur nous envoie dans un univers mystique qui, de toute évidence, ravit Yohan et me laisse abasourdi mais perplexe.

« Et depuis, vous êtes devenu religieux… lui lance Yohan, plus affirmatif qu'interrogatif.

— Pas tout à fait ! Disons que je me suis rapproché de la religion, que l'idée de l'existence de Dieu fait son chemin en moi. Mais je n'ai rien à voir avec tous ces gens qui nous entourent. C'est mon jardin secret et… une autre façon d'appréhender les choses de la vie. »

La lecture de la *Meguila* d'Esther est à présent terminée. La chaleur commence à se faire sentir à mesure que le soleil monte. Les hommes rangent leurs châles de prière et se dépêchent de rentrer à la maison pour fêter Pourim en famille, charriant dans leur sillage les rires des enfants déguisés.

Pour se rendre à la *yeshivah* de Ron Chaya, il faut quitter Jérusalem par le nord, traverser des quartiers palestiniens toujours grouillants d'activité avant de se retrouver à Ramoth

Daleth. Les quartiers sont tellement imbriqués les uns dans les autres qu'on ne sait jamais où se situe la frontière invisible entre communautés juive et arabe. La foule est la même, les immeubles se ressemblent et l'hébreu reste la langue commune. Seules les femmes se différencient : foulard sur la tête et robes colorées pour les Palestiniennes, perruque ou casquette enserrant la chevelure et longues jupes noires pour les Israéliennes religieuses. Même la musique s'échappant des voitures ou des échoppes peut prêter à confusion : les mélodies sont identiques, et il faut tendre l'oreille pour distinguer l'arabe de l'hébreu.

Nous avons rendez-vous avec le Rav Ron Chaya, l'une des personnalités les plus surprenantes du monde religieux de Jérusalem, mais surtout un expert en analyse de textes sacrés. Il a compris, le premier, l'importance d'Internet et la véritable révolution qu'allait représenter ce nouveau mode de communication. Très vite, toutes ses conférences relatives à une meilleure compréhension de la Torah se sont retrouvées sur YouTube, attirant des dizaines de milliers de personnes. En quelques mois, il est devenu une star du Net, à qui on écrit pour demander conseil – du mariage mixte à la consommation des produits lactés : plus de quarante questions par jour, auxquelles il répond personnellement et qui lui ont donné l'idée de réunir dans un livre les interrogations les plus fréquentes.

Mais le voici qui nous attend sur les marches de sa *yeshivah*. Physiquement, aucune surprise : il ressemble… à un rabbin, avec son costume sombre, sa cravate bleu marine sur une chemise blanche et ses lunettes cerclées d'or. La cinquantaine, grand et svelte, il nous accueille avec un large sourire et une franche poignée de main. J'allais oublier : il arbore, bien évidemment, la barbe de rigueur. Il nous invite à passer dans son bureau, dont il ferme la porte à clé. « C'est Pourim, explique-t-il, et si je ne nous enferme pas mes étudiants vont vouloir faire la fête avec nous et ne nous laisseront pas tranquilles… »

Le décor est spartiate : une table sur laquelle reposent deux téléphones et un ordinateur, trois chaises et une bibliothèque chargée de livres anciens. La pièce est baignée de lumière provenant de la fenêtre située face aux visiteurs. Elle s'ouvre sur un décor biblique, ce qui est souvent le cas à Jérusalem, de collines arides écrasées de soleil où l'on distingue quelques chèvres. À droite s'étendent les faubourgs de Ramallah et le mur de séparation entre les deux communautés. « Sur le plan esthétique, ce n'est pas un modèle d'architecture, reconnaît le Rav Chaya, mais depuis sa construction les attentats ont cessé… » Et puis, juste en face de nous, à 500 mètres à vol d'oiseau, s'élève le dôme d'une mosquée. « Elle a été construite à l'emplacement exact du tombeau du prophète Samuel, que vénèrent, comme nous, les musulmans. Le plus étonnant, c'est qu'au même endroit, cohabitant dans le même espace, il y a une *yeshivah* ! Et après ça, on dira que Juifs et Arabes ne s'entendent pas ! »

Il est né en Suisse, où s'étaient établis ses parents, originaires d'Israël, Juifs non pratiquants. « La vie était dure ici, dans les années 1960, ils pensaient avoir trouvé au cœur des Alpes un cadre plus serein pour élever leurs enfants. » En 1979, sa maturité[4] en poche, il décide de rejoindre le pays de ses parents, en quête de ses racines. Il arrive ici à Jérusalem, où il étudie pendant un an la philosophie. Les questions existentielles le conduisent doucement vers la Torah, qu'il découvre avec surprise et émerveillement. Dès lors, il décide de rester en Israël et fait sa *techouva*, son retour aux sources, avec une observance stricte de la religion. Cela ne le dispensera pas du service militaire, et, en 1982, il participe à la guerre du Liban – « Période difficile à laquelle un jeune homme de 20 ans n'est pas préparé. Mais pour moi, c'est une évidence : je sers avec les

---

4. Équivalent suisse du baccalauréat.

armes le pays que je me suis choisi ». Lorsqu'il quitte l'armée, il se lance à corps perdu dans l'étude de l'hébreu biblique, de l'araméen et des textes sacrés. Il rend parfois visite à ses parents, qui le considèrent comme un illuminé. « Je dois vous avouer que ma mère, en particulier, ne supportait pas ce qu'elle appelait mes "toc", le fait que je me lave les mains à tout bout de champ, avant de manger du pain, de la viande ou du poisson, après chaque repas ou au moment de la prière. » Malgré tout, il parvient à la convaincre d'assister à un séminaire de sensibilisation à la religion, et le miracle − très relatif, précise-t-il dans un éclat de rire − se produit : sa mère est touchée par la foi et devient pratiquante. En 1991, il crée sa propre école, institution qui compte aujourd'hui une soixantaine d'étudiants francophones.

« Tout cela pour vous dire, et pour en terminer avec l'histoire de ma courte vie, que je ne suis pas croyant. Je suis *sachant*... »

Et, devant nos mines ébahies, d'insister : « Je ne crois pas. Je sais ! »

L'invitation à une discussion métaphysique est claire, et, un instant, je me sens au bord d'y succomber. Mais, même si l'envie ne me manque pas, je décide de ne pas le relancer sur cette déclaration de foi afin d'en arriver au motif de notre visite : les menaces sur le peuple juif contenues dans le Livre d'Esther et le rapport de celui-ci avec la Shoah.

« Avant d'aborder le Livre d'Esther proprement dit, je voudrais évoquer un texte vieux de 1 500 ans où apparaît pour la première fois une référence précise à l'Allemagne et au rôle que celle-ci pourrait jouer dans l'extermination des Juifs. Il s'agit du traité de *Meguila* datant de l'an 450 de l'ère chrétienne. Vous en avez sans doute déjà entendu parler : c'est un ensemble de commentaires et de règles liés au Livre d'Esther. À la page 6b, on trouve le passage suivant... »

Il a endossé son habit de conférencier, de pédagogue qui tient à partager son savoir et veut convaincre. Il parle sans recourir à des notes mais n'hésite pas à produire un livre de sa bibliothèque pour appuyer ses propos.

« Aux pages 6a et 6b, donc, on trouve la citation suivante : "Jacob s'adressa à Dieu et Lui dit : ne laisse pas Esaü accomplir ses mauvais desseins. Il s'agit des 300 têtes couronnées de Germamia d'Edom car si elles sortaient, elles détruiraient le monde entier."

» Petit rappel historique : Esaü est le frère de Jacob. Il a accepté d'échanger son droit d'aînesse contre un plat de lentilles. Il voue depuis lors une haine féroce à Jacob et à son peuple, dont il a juré la perte. Esaü est le grand-père d'Amalek, considéré dans la Bible comme le Mal absolu.

» Première remarque : "Germamia" sonne un peu faux à nos oreilles. Mais pourquoi un "m" dans la dernière syllabe et non un "n", qui donnerait "Germania", si proche d'une "Germanie" bien connue, autrement dit de l'Allemagne des temps modernes ? La réponse est simple : pour ne pas mettre en danger les Juifs habitant ce pays si celui-ci était désigné nommément. Tous les érudits, dont le célèbre Gaon de Vilna, vivant au XVIIIᵉ siècle, sont d'accord sur ce point : il s'agit bien d'un pays d'Occident (Edom) appelé "Germania". Il est à noter que cette région existait un siècle avant l'ère chrétienne sous cette même appellation.

— Ce qui veut dire que, au moment où ce traité est écrit, la Germanie existe déjà en tant que région… C'est bien ça ? »

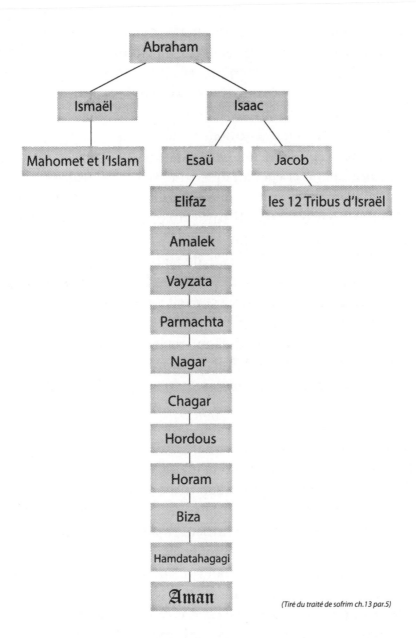

(Tiré du traité de sofrim ch.13 par.5)

Ma remarque n'est pas originale, mais je veux juste être certain d'avoir bien compris ses explications et le freiner dans le déroulement de sa démonstration. J'ai de plus en plus la sensation d'être entraîné dans des rapides tumultueux qui me font perdre le contrôle de mon embarcation.

« En effet. Tous les historiens l'attestent. »

Et le voilà reparti, levant parfois les mains au ciel, n'hésitant pas à donner de la voix lorsque son récit le nécessite.

« Deuxième remarque : quelles sont ces 300 têtes couronnées dont parle Jacob ? Il suffit de prendre l'Encyclopædia Britannica et de lire ce qui suit… »

Il se lève et choisit un livre de sa bibliothèque qu'il nous met sous les yeux. De toute évidence, lui n'en a pas besoin, il connaît par cœur ce qui y est écrit : « Après 1648, l'Empire germanique est constitué d'États absolutistes (Brandebourg, Bavière) et d'États constitutionnels (Wurtemberg). L'empire se compose alors de 300 États souverains ou principautés. »

« Je vous rappelle que Jacob a demandé à Dieu d'intervenir car si ces 300 têtes couronnées sortaient, elles détruiraient le monde entier. »

Ron Chaya s'arrête et nous regarde droit dans les yeux. Il prend son temps pour nous ménager, nous laisser le loisir de réfléchir avant d'abattre son ultime carte.

« Évidemment, nous pensons tous à la même chose, mais le dernier pas nous coûte. Comment imaginer qu'un texte vieux de 1 500 ans puisse annoncer un holocauste en Allemagne dans les temps futurs ? Laissez-moi vous donner deux autres informations, et après, vous pourrez penser ce que vous voulez…

Vous savez qu'en hébreu il est courant de calculer la "valeur" des mots. Ce n'est en aucun cas de la magie. Plutôt une méthode mathématique qui nous permet de mieux apprécier ce qui se cache derrière un mot ou un nom. Je me suis amusé à calculer la valeur d'"Esaü"…

» ESAÜ = 377

» Nous arrivons à un total de 377.

» Ensuite, j'ai fait la même chose pour Adolf Hitler…

» ADOLF HITLER = 377

» Le total de ses lettres est le même : 377. Troublant, n'est-ce pas ?

» Enfin, une information : vous savez qu'au début des années 1940 Albert Speer, l'architecte du Reich, avait commencé à dresser des plans pour réaménager Berlin et la transformer en capitale mondiale. Savez-vous comment il comptait la rebaptiser ?

— "Germania" ! lance Yohan

— Tout juste ! lui répond notre interlocuteur. Drôle, n'est-ce pas ? Mais tout ce que je vous ai raconté n'est que le… comment dire… hors-d'œuvre du Livre d'Esther. Il y a surtout les petites et les grandes lettres, dont vous avez sans doute entendu parler. Mais, pour cela, il faudra aller voir l'homme qui a percé le mystère, le Pr Neugroschel.

— Nous le rencontrons ce soir ! intervient Yohan.

— Alors je lui laisse le soin de finir de vous convaincre. Sa démonstration est imparable. Vous verrez… »

Le son de sa voix, un peu cassée, le rythme de ses phrases, qu'il module à l'envi, ses silences, qu'il fait régulièrement suivre de questions dont il connaît la réponse – cet homme est un expert en dialectique et sait jouer avec son auditoire. À mes côtés, Yohan est conquis. Je reste sceptique bien qu'ébranlé par ses arguments.

« Et que concluez-vous de tout cela ?

— Que nous sommes entrés dans la période prémessianique. Que la fin des temps est proche… Qu'Israël et le monde entier sont en grand danger. »

Il prononce ces mots à voix basse, presque en chuchotant, comme s'il craignait de réveiller des forces maléfiques, mais avec l'assurance de celui qui sait.

Le taxi arrive au moment où s'élève la voix du muezzin appelant les fidèles à la prière. Drôle de pays où, depuis soixante ans, Juifs et Arabes se livrent une guerre plus ou moins ouverte selon les époques et partagent dans le même temps un espace commun en toute convivialité. Est-ce la chaleur ou une manifestation physique consécutive à l'entretien que nous venons d'avoir ? Je suis en nage.

« Alors ? risque Yohan.

— J'avoue que cette rencontre m'a mis mal à l'aise. Je transpire à grosses gouttes. Ce que nous a raconté le Rav Chaya est troublant. Mais tout cela va à l'encontre de ce que je suis : mon éducation, ma formation universitaire, mon cartésianisme... »

Je m'interromps un instant pour m'éponger le front et ouvrir la fenêtre du taxi qui fonce à présent vers Jérusalem. L'air frais m'aide à reprendre mes esprits. Je lui renvoie la question :

« Et toi ?

— C'est la première lumière que j'entrevois depuis quatre ans, depuis que j'ai commencé à m'intéresser à cette histoire, me répond-il, la gorge nouée. C'est la première fois que je rencontre quelqu'un qui partage mon combat. Et je me dis que tout ce que j'ai enduré durant toutes ces années n'a pas été vain.

— Je crois que je peux comprendre ce que tu ressens. Mais j'ai du mal à accepter cette histoire !

— Pourtant, insiste Yohan, Germania et les 300 têtes couronnées...

— Oui, j'ai bien entendu. Mais ce ne sont que des extrapolations, des interprétations de textes anciens. C'est comme si tu me demandais aujourd'hui de croire aux prédictions de Nostradamus. Je ne l'ai jamais fait et ce n'est pas maintenant que je vais changer. »

L'air qui entre à flots dans la voiture a calmé mon coup de chaleur. Dehors, la voix d'Oum Kalsoum s'échappe d'un transistor.

« Mais l'Allemagne et ses 300 principautés, renchérit mon ami, c'est écrit noir sur blanc dans un texte vieux de 1 500 ans...

— C'est... dérangeant, je l'admets, mais pas assez convaincant.

— Et si je te montre un texte du XVIIIe siècle écrit par ce grand érudit, le Gaon de Vilna ? Je peux te le trouver sur Google dès notre arrivée à l'hôtel. Lui aussi parle des 300 provinces qui se réuniront pour former un seul État appelé "Germania" qui n'aura qu'un seul but : conquérir le monde !

— Écoute, Yohan (j'ai conscience que mon ton de voix est quelque peu excédé), ne compte pas sur moi pour m'engouffrer aussi facilement dans une bulle mystico-religieuse, uniquement parce qu'un rabbin, si remarquable soit-il en tant qu'exégète, pense avoir décrypté un verset mystérieux.

— Tu veux dire que le Rav Chaya est un illuminé ?

— Je ne dis pas ça... Je dis simplement qu'on peut toujours faire dire aux mots et aux chiffres ce que l'on veut... surtout *a posteriori* !

— Alors, quoi ? Tu expliques ça par le hasard ? »

Je préfère ne pas répondre, les yeux fixés sur les murailles de la Vieille Ville que longe à présent le taxi.

« Et si le hasard, ou les coïncidences, appelle ça comme tu veux, se répètent deux fois, trois fois, dix fois dans le même texte... tu dis quoi ? » m'assène Yohan.

De toute évidence, il n'a pas l'intention de me lâcher.

Je n'ai rien à lui répondre. Je sais qu'il marque des points. On peut toujours tout expliquer par la logique, la raison, mais lorsque se succèdent dans un même espace-temps une série de correspondances, les armes scientifiques ou cartésiennes ne suffisent plus. C'est ce pas que je me refuse à franchir. D'où mon malaise et mon manque d'arguments. Mais je ne me rends pas. Pour le moment, l'émoi que je ressens n'aide pas au bon fonctionnement de ma pensée. J'ai besoin de temps, de réflexion pour trouver la parade. Et je suis sûr d'y parvenir.

Le temps d'une douche et je cours déjà à l'autre bout de la ville. Charles Enderlin, le correspondant de France 2, m'a donné rendez-vous dans l'un des restaurants branchés de Jérusalem. On se connaît depuis trente ans et je dois dire que ses analyses sur la géopolitique de la région ont toujours été d'une rare pertinence. Charles a émigré en Israël après Mai 68, troquant les pavés du Quartier latin contre la pierre blanche de la Ville sainte. Il espérait y trouver un modèle de socialisme et de liberté correspondant aux idéaux de la révolte étudiante. Il se retrouve quarante ans plus tard dans un pays où les kibboutzim et le rêve communautaire ont pratiquement disparu, où la société de consommation fait des ravages pendant que les religieux affirment chaque jour davantage leur pouvoir. Cela ne l'a pas empêché de devenir l'un des journalistes les mieux informés d'Israël.

L'endroit où nous nous trouvons est fréquenté par beaucoup d'hommes politiques, d'industriels influents et de représentants du monde de la culture ; tout en dégustant un merveilleux chardonnay de Galilée, Charles me les désigne au fur et à mesure qu'ils prennent place dans le restaurant. Après une matinée chargée en émotions spirituelles, cette parenthèse gastronomique et amicale est la bienvenue. Très vite, pourtant, nos vieux démons journalistiques nous reprennent, et la situation dans la région s'invite à déjeuner.

« Cela fait quelques mois que rien ne bouge, commence Charles de sa voix de basse. Mais mon expérience dans cette région me laisse à penser que ce statu quo ne durera pas longtemps. En fait, j'ai plutôt le sentiment que les menaces se précisent pour Israël.

— Tu veux parler du changement dans les pays arabes ? Ce que nos intellectuels ont appelé le "printemps arabe" ?

— Absolument ! Le résultat de toutes ces "révolutions" a été l'arrivée au pouvoir des islamistes. Égypte, Libye, Tunisie, partout, ils se sont installés au sommet de l'État et ne le lâcheront plus. Il est évident que cela pose un sérieux problème à Israël...

— Et l'Iran ? La menace nucléaire ?

— C'est un vrai problème. Tout le monde s'accorde ici à prédire des centaines de morts de part et d'autre si Israël déclenchait une série d'opérations ciblées sur les sites d'enrichissement d'uranium. Mais nous avons un Premier ministre qui se sent investi d'une mission : éviter à tout prix un nouvel holocauste. Et il est prêt à des sacrifices... Il l'a déclaré à Washington devant Obama : mieux vaut des missiles sur Tel-Aviv qu'une bombe nucléaire entre les mains de l'Iran. Bref, on est sur le point d'entrer dans une zone de grande turbulence. »

Décidément, ce pays est fascinant ! Par des chemins totalement différents, les religieux (grâce à l'étude de la Torah) et les analystes politiques (en se fondant sur les rapports de force existants et sur une projection de leurs conséquences humaines et économiques) se rejoignent lorsqu'il s'agit d'évoquer l'avenir.

« Tu es d'accord avec les religieux sur le point de la situation. Si ce n'est qu'eux parlent de période prémessianique qui pourrait placer Israël en danger de disparaître...

— C'est bien le seul point sur lequel je serais d'accord avec eux ! En revanche, les Israéliens dans leur immense majorité les rejoignent : un sondage a révélé il y a quelques jours que 70 % d'entre eux pensent que le Messie va arriver... Je te propose de trinquer avant que le ciel ne nous tombe sur la tête ! »

Et nous voilà partis tous les deux dans un gigantesque éclat de rire provoquant des regards courroucés de la part des clients du restaurant. Je repose mon verre avant de reprendre mon questionnement :

« Et l'État palestinien ? Utopie ? Tu y crois ?

— Je ne pense pas dans l'immédiat, répond Charles, redevenu sérieux. Tu vas très vite comprendre... Sais-tu combien de soldats il a fallu envoyer à Gaza pour déloger les 7 000 colons qui s'y trouvaient ? 70 000 ! Dix militaires pour chaque Israélien vivant alors sur la bande de Gaza ! Maintenant, as-tu une idée du nombre de colons habitant la Cisjordanie ?

— Plus de 300 000 ?

— 310 000 exactement. Et leur nombre augmente chaque jour. Fais un rapide calcul et tu arriveras à la même conclusion que moi.

— Donc, situation bloquée...

— Pas pour longtemps. Crois-moi, l'expérience de cette région me fait dire que le statu quo ne dure jamais très longtemps. »

L'intermède politique est terminé. Je vais retourner chez les hommes en noir et vivre l'une des nuits les plus éprouvantes de ma vie.

Une nuit chez le Professeur

L e Rav Avi Bloch est passé nous chercher à l'hôtel. C'était mon as de carreau, mon « Rav high-tech » que j'avais interviewé *via* Skype, celui qui nous avait encouragés à faire le voyage à Jérusalem.

Il est un peu plus grand que l'écran ne le laissait supposer, plus massif, accusant déjà un embonpoint qui trahit un manque cruel d'exercice physique. Yohan, qui le connaît depuis longtemps, ne se prive pas de le lui faire remarquer.

« Vous avez parfaitement raison ! Je ne fais aucun sport. Je passe mes journées à la *yeshivah* à lire, à étudier, à enseigner, et mes étudiants ne me laissent pas une minute pour m'occuper de ces kilos en trop ! »

Ce qu'il a conservé, c'est cette faconde, cette générosité qui transparaissait déjà *via* Internet. Doté d'une grande érudition, curieux de tout, sachant écouter son interlocuteur, il ne manque pas une occasion de rire et, n'étaient son costume noir et son large chapeau, c'est le genre de type avec qui on aimerait bien aller boire une bière dans un bistro avec la certitude qu'on ne s'ennuiera pas avec lui.

La veille, il nous avait conviés au festin de Pourim (l'un des trois commandements à respecter ce jour-là, avec les cadeaux aux amis et l'aumône à un miséreux), entouré de ses treize enfants et d'une partie de ses étudiants. Une atmosphère de fête régnait dans l'appartement, où chacun arborait qui un masque, qui un couvre-chef fantaisie, chantant et dansant sur des rythmes de rap (oui, du rap dans la maison d'un rabbin !) autour d'une table immense débordant de victuailles... et de boissons. Car la caractéristique de Pourim – le Rav Gay nous en avait parlé à Paris –, c'est l'alcool, la permission de boire jusqu'à ne plus pouvoir distinguer un « Béni soit Mardochée » d'un « Que disparaisse Aman ». Un objectif difficile à atteindre mais que tous les hommes s'acharnent à dépasser au plus vite. « En fait, m'explique le Rav Bloch, la voix déjà un peu pâteuse, la Torah nous enseigne qu'un homme ivre (attention, pas celui qui tombe de sa chaise, non, celui qui s'abandonne légèrement à la boisson) est désinhibé et laisse transparaître sa véritable nature et ses sentiments les plus profonds. Il est alors au plus près de lui-même, sans mécanisme de protection, et se rapproche ainsi d'une certaine forme d'innocence spirituelle. » Au vu de l'ambiance qui règne, autant dire qu'on approche du but, et que notre innocence sera bientôt celle d'Adam au premier jour : le whisky et la vodka ont parfaitement rempli leur rôle. Deux choses pourtant me frappent lors de ces agapes : d'abord, les femmes invitées, qui restent confinées en bout de table. Elles rient mais elles ne boivent pas. Même à Pourim, hommes et femmes ne se mélangent pas. Ensuite, le respect, l'admiration que les étudiants vouent à leur maître. Tous veulent le servir, parler avec lui, lui lançant des défis d'érudition sur la Torah pour qu'il les mette à l'épreuve, débordant de prévenance et de gestes affectueux pour celui qu'ils ont choisi.

Et, tout au long de l'après-midi, des escouades de jeunes hommes, des amis, des voisins envahissent l'appartement, dont la porte reste toujours ouverte, pour célébrer, un verre à la main, la fête de Pourim. On mange pour mieux supporter l'alcool, on chante et on rit. On félicite la maîtresse de maison et ses filles, qui s'activent entre la cuisine et le salon afin que les invités ne manquent de rien. Le Rav Bloch, un cigare entre les lèvres, de fausses papillotes blondes descendant le long des oreilles, est heureux.

« Je me suis mis à la diète, nous avoue-t-il en venant nous chercher à l'hôtel. Je n'ai pas été malade, mais c'est tout juste... En revanche, mes étudiants étaient complètement soûls ! Je ne les ai pas vus de la journée. Ils savent que demain les cours reprennent, et ils ont intérêt à avoir l'esprit clair ! Mais qu'est-ce qu'on a ri ! »

Il s'interrompt un instant puis poursuit, l'air un peu confus :
« Vous n'avez pas été choqués, j'espère...
— Je vous rassure ! Nous n'avons pas tous les jours l'occasion de voir un Rav passablement éméché, scandant du rap et dansant avec ses enfants et étudiants... Pour rien au monde je n'aurais manqué ce spectacle !
— Mais vous savez que c'est la seule fois dans l'année où je bois, tente-t-il de se justifier.
— Vous n'avez pas besoin de le dire, lui répond Yohan. Au bout du deuxième verre, vous étiez déjà ivre.
— C'est vrai que je ne tiens pas du tout l'alcool ! Voilà un point sur lequel j'ai encore des progrès à accomplir ! »
Et il éclate de rire.

Nous devons traverser toute la ville pour rejoindre le quartier de Sanhédria, au nord de Jérusalem. Avi Bloch nous explique que les voitures n'y circulent pas pendant le Shabbat mais qu'on est loin de l'ultraorthodoxie de Méa Shéarim, le plus célèbre des quartiers religieux de la Ville sainte.
« Vous vous êtes préparés à la rencontre ?
— Que voulez-vous dire par là ?
— Vous vous apprêtez à entreprendre un grand voyage dans le temps, nous répond-il d'un ton solennel. Vous risquez de

131

ne pas en ressortir indemnes... Mais je vous invite à poser toutes les questions qui vous passeront par la tête. Profitez-en : vous aurez devant vous un homme d'une culture inouïe doté d'une rigueur intellectuelle impressionnante. Ce n'est pas par hasard qu'on l'appelle "le Professeur"! Ne laissez pas passer cette chance! »

Il est tout juste 22 heures, mais la circulation reste très dense. La température est quasi estivale. Sur les trottoirs se presse une foule joyeuse; les terrasses des cafés sont bondées. Tous semblent vouloir prolonger encore cette soirée de Pourim qui, comme chaque année, marque le début du printemps avant la célébration de Pâques. L'avertissement du Rav Bloch nous a plongés, Yohan et moi, dans un état de grande excitation et d'angoisse. Quels sont les secrets que l'homme que nous allons voir détient? Que va-t-il nous apprendre? Pourquoi risquons-nous de ne pas en sortir indemnes?

Déjà nous arrivons. Ici, les rues sont désertes et mal éclairées. Nous avons délaissé le centre de la ville, d'où nous parviennent encore, étouffés, des coups de klaxon et le vrombissement des moteurs. Nous croisons quelques personnes qui se hâtent de rentrer chez elles tandis que le Rav Bloch nous guide vers le porche d'un immeuble auquel mènent une série d'escaliers.

« Nous sommes en avance de cinq minutes, nous prévient-il. Pas la peine de se dépêcher. Ici, on n'arrive pas chez les gens avant l'heure convenue. On risquerait de les gêner... »

La construction est typique de Jérusalem, avec ses pierres blanches devenues grises avec le temps et ses panneaux solaires sur le toit que l'on devine au quatrième étage. Le quartier fut fondé en 1926 puis évacué en 1929 après le massacre d'Hébron, au cours duquel 67 Juifs furent assassinés par des civils et des policiers arabes. En 1948, à la création de l'État d'Israël, et malgré la frontière jordanienne qui passait à quelques dizaines de mètres, il fut réinvesti par des communautés religieuses.

« Allez, on y va. Vous êtes prêts ? »

Yohan et moi jetons un regard irrité au Rav Bloch. Son insistance ne fait qu'ajouter à notre tension. Je décide d'ignorer sa remarque : après tout, nous venons ici chercher des réponses à certaines questions que nous ne manquerons pas de poser. Pour le reste, je me cramponne à mon carnet de notes, prêt à le noircir de révélations.

C'est sans doute sa femme qui est venue nous ouvrir. Belle, dans son caftan noir brodé d'or, les cheveux maintenus cachés par une coiffe de la même couleur qui part du front et descend vers la nuque. Elle nous fait passer dans ce qui semble être la pièce principale, meublée modestement, au centre de laquelle trône une lourde table de bois ciré. Surtout, ce qui attire l'œil en entrant, c'est la bibliothèque couvrant tous les murs, donnant l'impression au visiteur d'être enserré dans les livres. Elle nous demande de patienter quelques minutes. Son mari ne va pas tarder, et, si nous le souhaitons, elle se propose de nous servir quelques rafraîchissements en attendant.

Enfin, le Pr Neugroschel apparaît. C'est ma première surprise de la soirée : j'imaginais un homme barbu à grand chapeau et veste noire, un clone de tous les Ravs que nous avons rencontrés jusqu'à présent. Or, nous voici serrant la main à un intellectuel d'une soixantaine d'années, les cheveux grisonnants, sans un poil sur les joues, des yeux bleus derrière de fines lunettes. Tel qu'il nous reçoit, il fait plus penser à un universitaire de Cambridge qu'à un rabbin de Jérusalem.

Nous convenons rapidement d'utiliser l'anglais pour l'entretien, le Rav Bloch se tenant prêt à tout moment pour assurer une traduction du français vers l'hébreu ou l'inverse.

Il est tout juste 22 h 30 lorsque Mordechay Neugroschel commence à nous raconter son histoire.

« Je suis né à Tel-Aviv, nous dit-il d'une voix douce, presque monocorde, les mains posées à plat sur la table. Ce n'était pas encore la ville… "branchée" que l'on connaît aujourd'hui. La première guerre d'indépendance venait de se dérouler et il y avait tout à faire : construire des routes, installer l'eau et l'électricité dans les maisons, créer un réseau de transports publics, que sais-je ? Tout était à faire… Mes parents étaient tous deux rescapés des camps. Ma mère venait de Hongrie, elle avait été internée à Theresienstadt et réussi à tenir jusqu'à la fin de la guerre. Lorsqu'elle s'était retrouvée libre, vivante, elle n'avait pas hésité une seconde et avait rejoint Eretz Israël. Elle ne voulait plus connaître la honte, l'humiliation et la mort uniquement parce qu'elle était juive. Elle voulait vivre dans un pays où elle serait acceptée en tant que telle sans que l'on vienne lui demander sa religion. C'est à Tel-Aviv qu'elle rencontra mon père. Ils tombèrent amoureux l'un de l'autre et décidèrent de fonder une famille. »

Il s'interrompt un instant, prend un verre d'eau et nous invite à l'imiter. Ses yeux pétillent d'intelligence et un sourire bienveillant ne quitte pas son visage.

« Je ne vous raconte pas tout cela par hasard, reprend-il. C'est dans le but de vous faire comprendre que mon enfance a été… bercée – non, ce n'est pas le terme qui convient –, disons que mon enfance a été hantée, nourrie par l'Holocauste. Tous nos voisins étaient dans la même situation, ils avaient tous été touchés par la Shoah, une partie de leur famille avait disparu dans les camps, et, eux, ils étaient obligés de continuer à vivre parce qu'ils n'avaient pas le choix… Je veux insister là-dessus : la Shoah faisait partie de mon quotidien. »

Il se penche légèrement en avant et me regarde dans les yeux. Il n'a pas élevé la voix, son sourire ne s'est pas enfui. Il est simplement devenu grave.

« Il faut imaginer le petit garçon que j'étais, ballotté entre les voisins du premier étage et ceux de l'immeuble d'en face, sans parler du boulanger du coin de la rue : ils déversaient sur moi tout le malheur du monde. J'étais devenu le réceptacle de leurs pires cauchemars, peuplés de nazis, de chiens, de froid et de faim.

— Vous semblez leur en vouloir… risqué-je.

— Comment leur en vouloir ? Ils étaient rescapés des camps de la mort, ils avaient perdu leur père, leur mère, des enfants… Leur seul salut était de parler, de dire ! Ceux qui l'ont fait s'en sont sortis. Les autres se sont laissés mourir. Ils ne pouvaient tout simplement pas continuer à vivre… Non, j'ai voulu vous raconter cela pour que vous saisissiez bien que, dès le début, je n'ai pas été un petit garçon comme les autres. Je ne comprenais pas tout ce qu'ils me disaient, mais leurs mots se sont peu à peu incrustés dans ma mémoire. Aujourd'hui encore, je vis avec la parole de tous ces gens. J'ai même parfois l'impression d'en être le dépositaire. »

Ombre furtive, son épouse vient en silence nous apporter des jus de fruits et du strudel. Elle se retire comme elle est entrée, sans un bruit.

« Il faut vous dire qu'à l'âge de 12 ans, je lisais tout ce qui se rapportait à l'Holocauste. Pendant que mes camarades d'école se disputaient les aventures de Superman, je découvrais les horreurs d'Auschwitz et la mise en œuvre de la Solution finale. Ce sont des lectures qui n'auraient pas dû tomber entre les mains d'un gamin. Mais c'est ainsi que je me suis constitué. »

Le Rav Bloch a baissé les yeux vers son verre d'eau ; Yohan semble hypnotisé par notre interlocuteur. Quant à moi, j'ai la posture la plus facile : je prends des notes.

« C'est comme ça que je suis devenu autodidacte. Je me suis formé tout seul. Non, pas exactement : je fréquentais à l'époque une *yeshivah* où j'ai appris l'essentiel de l'histoire du peuple juif et des rudiments de la Torah. Mais, lorsque j'en avais fini avec l'enseignement religieux, je me plongeais dans l'histoire, la philosophie, l'économie, la géographie, que sais-je ? J'avais la soif d'apprendre et de découvrir. J'étais devenu une telle référence à la *yeshivah* en matière de culture générale qu'à 19 ans j'ai été désigné pour expliquer la Shoah à des garçons de mon âge qui en avaient vaguement entendu parler par leurs parents. Je savais tout de l'industrie de mort mise au point par les nazis, des particularités de chaque camp de concentration, de toutes les condamnations prononcées par le tribunal de Nuremberg... »

La référence au procès me fait tressaillir. Yohan me jette un coup d'œil complice. « On y est », semble-t-il me dire. Non. Pas encore...

« Voilà pourquoi j'ai eu l'idée avec d'autres de fonder une organisation que vous devez connaître – Arachim –, dont le but était double : expliquer au monde entier la Shoah et encourager le retour vers les valeurs essentielles de la religion. Nous avons ainsi organisé des conférences et des séminaires dans tous les pays. Avec un certain succès, il faut le souligner. Et c'est au sein de cette organisation que l'on m'a confié une mission un peu spéciale. Étant donné ma grande connaissance de l'Holocauste et de la Torah, on m'a demandé de découvrir dans les textes sacrés l'annonce d'événements historiques tels que la Seconde Guerre mondiale. »

Cette fois, oui, nous y étions. Yohan me donne un violent coup de coude. Le Rav Bloch se redresse et pose sa main sur le bras du Professeur pour intervenir.

« Juste une précision avant de laisser à nouveau la parole à Mordechay... Il faut que vous sachiez que, depuis la nuit des temps, tous nos érudits répètent inlassablement la même chose : toute l'humanité se trouve dans la Torah et dans ce que l'on appelle la "tradition orale", le Talmud. Et quand je dis toute l'humanité, j'englobe l'histoire des temps anciens et les prédictions pour les temps futurs. Si nous savions lire et décrypter nos deux livres sacrés, nous y trouverions inscrits tous les

événements passés et à venir. C'est une science exigeante, difficile, où les succès ne sont pas toujours au rendez-vous. Voilà
pourquoi la découverte du Pr Neugroschel est exceptionnelle. »

Celui-ci, qui comprend globalement le français, approuve
l'intervention du Rav Bloch et, de la même voix monocorde,
reprend son récit :

« Lorsque l'on m'a confié cette mission, j'ai immédiatement
pensé au Livre d'Esther. C'est par là que j'allais commencer
mes recherches. Pourquoi ? Parce que la similitude entre ce que
relate ce texte et la période nazie a toujours été une évidence
pour moi. Je devais avoir 12 ou 13 ans, je m'en souviens parfaitement, lorsque je me suis dit pour la première fois que les
discours de Hitler ressemblaient mot pour mot aux propos
d'Aman. De la même manière, lorsque j'ai lu, dans un livre
sur cette période, que les nazis avaient élaboré un plan pour la
Solution finale, ma réaction a été immédiate : c'est la deuxième
fois que cela se produisait ! Aman avait déjà essayé de l'appli-
quer. Bref, le lien entre la *Meguila* et les nazis a toujours été
évident, criant devrais-je dire, pour moi. »

Il se lève, parcourt rapidement le deuxième rayon de la bibliothèque et en sort un gros livre à la reliure de cuir dont l'usure
indique qu'il a été consulté des milliers de fois.

« Prenez le traité de *Meguila*... Comme vous le savez, c'est
un codex qui sert à mieux comprendre et surtout à fixer de
manière définitive le texte du livre et ses interprétations. À la
page 6... »

Dans le livre ouvert, ses doigts désignent immédiatement un
passage en hébreu. Il scande à voix basse les quelques lignes
de texte et se tourne vers nous.

« Il y a là une description très claire de l'Allemagne désignée
il y a 1 500 ans comme "Germania". On y parle – son doigt
continue à suivre les caractères hébraïques – d'un axe entre
la Germania et Rome... "Ne laissez pas faire", dit le traité... »

Il referme le livre et revient s'asseoir.

« J'en étais là de mes réflexions lorsqu'une lumière m'est tombée du ciel.

— Une lumière ? interroge Yohan.

— Oui, un coup de téléphone… répond de façon prosaïque le Professeur, un léger sourire aux lèvres. Quelqu'un que je connaissais et dont j'ai oublié le nom. Il m'appelait pour me dire qu'il avait lu dans un journal qu'il y aurait un rapport entre les noms des dix enfants d'Aman et les condamnés de Nuremberg. J'imagine que cela va vous paraître bizarre, mais je ne me souviens pas de qui m'a appelé ni de quel journal il s'agissait. Mais c'est cet appel qui m'a mis sur la voie.

» J'ai donc décidé de prendre à bras-le-corps le mystère que des générations d'érudits avaient tenté de percer : les fameuses trois petites lettres et la grande lettre qui apparaissent dans la transcription des noms des dix enfants d'Aman. »

Le Rav Bloch, qui nous a promis de ne laisser aucun point dans l'ombre, réclame à nouveau la parole en levant la main.

« Vous savez que petites et grandes lettres ne sont pas rares dans la Torah. Tous les textes en sont truffés. En général, elles renvoient à un commentaire ou à une prescription. Elles peuvent également, parfois, indiquer un rite liturgique : lire ce qui suit en silence, reculer de trois pas, s'incliner… On en connaît parfaitement la signification, on sait ce qu'elles impliquent. C'est vrai pour tous les textes… sauf pour le Livre d'Esther !

— Vous voulez dire qu'en dehors du Livre d'Esther il n'existe pas, dans la totalité des textes de la Torah, une seule petite lettre ou grande lettre qui n'ait une explication connue, partagée et confirmée par l'ensemble des érudits ?

— Exactement, me répond le Rav Bloch. Il n'y a que les petites et grandes lettres contenues dans le Livre d'Esther qui posaient problème… jusqu'à la découverte du Professeur.

— Alors, Professeur, dis-je en me retournant vers lui, comment avez-vous procédé ? »

La réponse fuse, immédiate :

« Comme mes illustres aînés l'ont toujours fait : j'ai essayé de voir quelle était la valeur numérique de ces lettres.

— Effectivement, le Rav Chaya nous a dit quelques mots de la valeur numérique des lettres, mais je ne suis pas sûr de savoir comment elle est calculée.

— Je crains de devoir intervenir à nouveau... »

Le Rav Bloch a compris qu'une explication était nécessaire. Plutôt que de laisser s'enliser le débat, il va jouer une nouvelle fois le référent. Le Professeur, ravi, en profite pour goûter le strudel de son épouse.

« En fait, explique le Rav Bloch, dans plusieurs langues anciennes, dont l'hébreu, les lettres ont toujours été utilisées pour noter les nombres. On appelle cela la *Guematria*, que l'on pourrait traduire par "géométrie". C'est ainsi que, dans la numérotation hébraïque, les neuf premières lettres de l'alphabet ont une valeur qui va de 1 à 9 ; les neuf suivantes, une valeur qui va de 10 à 90 ; et enfin, les quatre lettres finales de 100 à 400. Par exemple, la première lettre de l'alphabet est le *aleph*, qui vaut 1... La deuxième lettre, le *beth*, vaut 2, et ainsi de suite... En prévision, ajoute-t-il en extirpant un document de sa poche intérieure, j'ai préparé un tableau récapitulatif pour bien fixer les idées. Le voici. »

Nom	Valeur numérique	Graphie
aleph	1	א
beth	2	ב
gimel	3	ג
dalet	4	ד
he	5	ה
vav	6	ו
zayin	7	ז
het	8	ח
tet	9	ט
yod	10	י
kaf	20	כ
lamed	30	ל
mem	40	מ
nun	50	נ
samech	60	ס
ayin	70	ע
pe	80	פ
tsadi	90	צ
qof	100	ק
resh	200	ר
shin	300	ש
tav	400	ת

« C'est assez clair ?

— Très clair ! » répondons-nous en chœur, Yohan et moi.

Décidément, ce diable d'homme avait tout prévu.

« À partir de là et en associant toutes les lettres d'un mot, on arrive à calculer le "poids" numérique de ce mot. Par exemple, si vous prenez *shana*, "année" en hébreu... Vous additionnez les lettres *shin* + *nun* + *he* et vous obtenez 300 + 50 + 5 = 355...

C'est le nombre de jours de l'année lunaire sur laquelle est basé notre calendrier... Cela vous ouvre des perspectives, n'est-ce pas ? » ajoute-t-il en éclatant de rire devant nos mines éberluées.

« Encore un exemple ? Vous allez aimer... "Père" en hébreu se dit *ab*. Vous additionnez *aleph* + *beth*, c'est-à-dire 1 + 2, et vous obtenez... 3. Maintenant, prenez "mère", *em* en hébreu... *Aleph* + *mem* = 1 + 40 = 41... Tout va bien ? Amusez-vous à présent à additionner "père" et "mère", et vous arrivez à 3 + 41 = 44. En hébreu, "enfant" se dit *yeled*, autrement dit : *yod* + *lamed* + *dalet* = 10 + 30 +4 = 44... Bref, ajoutez le père à la mère et vous obtenez... un enfant ! Drôle, n'est-ce pas ?

» Je vous raconte tout ça pour vous faire comprendre deux choses : d'abord que cet exercice fait partie de la culture du peuple juif. Que l'on ne doit pas y voir de "geste" magique et que cette pratique est commune, usuelle, partagée par tous sans distinction.

— Et la Kabbale, alors ? intervient Yohan. L'utilisation des chiffres y est largement répandue...

— C'est exact, mais cela n'a rien à voir avec ce que je viens de vous expliquer. La numérologie des kabbalistes est 10, 100, 1 000 fois plus complexe que mes pauvres exemples... Non, l'essentiel, c'est d'avoir à l'esprit que tout Israélien, et d'une manière générale toute personne qui parle l'hébreu, peut se livrer régulièrement à cette gymnastique, un peu à la façon de vos sudokus. »

Intellectuellement, je suis ébloui par ces démonstrations, et je me promets d'approfondir plus tard cette initiation à la numérologie. En même temps, je comprends bien que toutes ces explications nous sont nécessaires pour appréhender le processus de la découverte, mais je commence à m'impatienter... Cela fait plus de deux heures que nous sommes arrivés chez le Pr Neugroschel, et nous n'avons toujours pas abordé le cœur du mystère.

« Voici donc le passage en question à partir duquel tout a été possible, enchaîne alors le Professeur comme s'il avait deviné mes pensées. Je vous en ai fait une photocopie afin que vous puissiez suivre mes explications. »

À son tour, il nous distribue une feuille noircie de caractères hébraïques.

« Il s'agit de l'énumération des noms des enfants d'Aman promis à la potence. Vous remarquez des lettres que j'ai entourées de rouge afin de mieux les mettre en évidence. Ce sont les fameuses lettres... Je vais vous expliquer comment j'ai procédé.

» J'ai d'abord décidé de m'occuper des petites lettres en leur appliquant leur valeur numérique.

» La première se trouve dans le premier nom cité, celui de "Parshandata" : il s'agit du *tav*, ת... Valeur numérique : 400.

» La deuxième est contenue dans le septième nom des enfants d'Aman, "Parmashtah" : c'est le *shin*, ש... Elle équivaut à 300.

» La troisième enfin est incorporée au dernier nom de la liste, "Vaïzata" : nous avons le *zayin*, ז... dont la valeur est 7.

» J'ai essayé d'additionner ces trois lettres, à savoir : 400 + 300 + 7 = 707.

» Tout va bien pour le moment ? N'hésitez pas à m'interrompre si vous ne comprenez pas...

» Je n'avais aucun mérite à procéder de cette façon. Tous nos maîtres avaient fait de même au cours des siècles précédents. Je décidai alors de conserver ce résultat et de me confronter à la grande lettre, celle qui se trouve au début du dernier nom de la liste : le *vav*, ו. Valeur : 6.

» J'ai tout essayé. Pendant des jours, j'ai additionné, multiplié, soustrait, divisé, j'ai tenté toutes les opérations. Rien. Rien de cohérent. Rien de satisfaisant... Je désespérais, jusqu'à ce que j'aie l'idée d'aller sortir de cette bibliothèque qui est devant vous un livre... Le voici... »

Il pose délicatement sur la table un ouvrage, en apparence très ancien, dont les bordures de cuir paraissent attaquées par la moisissure.

« C'est le Zohar, reprend-il, l'ouvrage majeur de la Kabbale. Je vais vous décevoir : je ne suis pas un initié de cette pratique philosophique et ésotérique du judaïsme. J'en connais les lignes de force, mais je ne suis pas un spécialiste. La thèse généralement admise est que Dieu a remis à Moïse sur le mont Sinaï une loi orale et secrète, la Kabbale, en même temps qu'Il lui remettait la loi écrite et publique, la Torah. "Malheur à celui qui croit que la Torah ne contient que des récits communs et des paroles ordinaires, nous dit le Zohar. Il est évident que dans chaque parole gît un mystère profond."»

Le Professeur a préféré fermer les yeux pour nous citer, en araméen puis en anglais, ces deux phrases issues du Zohar, les deux mains jointes sur le livre. Son sourire a disparu, et quelques gouttes de sueur perlent sur ses tempes.

«Bref, reprend-il au bout de quelques secondes, je me suis plongé dans la lecture du Zohar. Une lecture rapide, même si ce texte ne s'y prête franchement pas, survolant les paragraphes et les chapitres... Je cherchais quelque chose, je ne savais pas quoi, mais je cherchais un élément qui me permettrait d'utiliser ce fameux *vav* à bon escient. Et j'ai trouvé... Je ne me souviens plus combien de jours il m'a fallu, mais j'ai trouvé.

— Et vous avez trouvé quoi? lui lance Yohan, décidé, comme moi, à abréger notre torture.

— Que le Zohar considère la lettre *vav* comme le symbole du sixième millénaire. C'est-à-dire que cette lettre englobe les années de 5000 à 6000... À partir de là, rien de plus facile que de faire une simple addition... Vous vous souvenez du nombre auquel nous étions arrivés avec les trois petites lettres : 707. Si vous ajoutez 5 000 à ce résultat... vous obtenez 5 707... Le code était percé!

— Pardon, dis-je, mais je ne vous suis pas très bien.

— C'est que... je suis allé trop vite! 5707 est une date, une année du calendrier juif qui correspond, selon le calendrier grégorien en usage dans la majeure partie du monde, à 1946, l'année de l'exécution des condamnés de Nuremberg.»

Rav Bloch, qui doit connaître par cœur cette histoire, se retient de féliciter le champion. Le Professeur ne cache pas sa joie à l'énoncé de la chute en reprenant du strudel. Quant à Yohan, il m'interroge du regard, n'osant pas encore se prononcer. De mon côté, je suis partagé entre déception et colère. Quoi? Tout ça pour ça? Je me décide à faire part de mon scepticisme :

« Excusez-moi, mais je ne vous suis pas... 5707 et 1946...
Je reconnais que la correspondance entre les deux dates est
troublante, mais ce n'est, après tout, qu'une interprétation,
une extrapolation de chiffres ou de lettres. Et puis, en quoi
cette date nous permet-elle d'affirmer qu'il existe un lien
entre le Livre d'Esther et la Shoah ? Pardon, mais... je ne
vois pas !

— Vous avez parfaitement raison ! concède Mordechay
Neugroschel. Une date en soi ne signifie rien. Elle n'est que le
point de départ de ma recherche. Mais à partir du moment où
je l'avais identifiée, tout a été plus facile – un jeu d'enfant. Il a
alors suffi de tirer le fil, et toute l'histoire s'est dévidée devant
moi. Laissez-moi vous raconter... »

De façon assez paradoxale, j'ai l'impression que mon intervention fait plaisir au Professeur. Pour la première fois de la
soirée, il se frotte les mains en souriant et s'autorise un grand
verre de jus de fruits.

« Vous connaissez bien sûr la date de l'exécution des condamnés de Nuremberg...

— 16 octobre 1946 ! »

La réponse a fusé à ma droite. C'est Yohan qui s'engage dans
la bataille.

« Peut-être pourrions-nous nous demander à quelle date du
calendrier hébraïque correspond ce 16 octobre 1946... Vous
permettez ? »

Notre interlocuteur se lève et prend place devant l'ordinateur
qui se trouvait sur un secrétaire, face à la baie vitrée.

« Moi, je connais la réponse, dit Mordechay Neugroschel en
nous invitant à s'approcher de lui. Mais je préfère que vous
le constatiez par vous-mêmes... J'ai là un logiciel qui nous
permet de transformer par un simple clic le calendrier grégorien en calendrier hébraïque ou l'inverse, bien évidemment...
Je rentre donc la date du 16 octobre 1946 et j'obtiens... lisez

145

vous-même : 21 Tichrit 5707... Voilà ! Cette date vous évoque-t-elle quelque chose ? »

C'est en regagnant nos places autour de la table que Yohan se manifeste :

« Ce ne serait pas... Hoshanna Rabba ? »

Le visage du Rav Bloch s'illumine : l'étudiant rencontré il y a quelques années a manifestement fait des progrès. Il est temps pour lui de reprendre sa panoplie de « clarificateur » et de nous livrer, avec un vrai talent de pédagogue, ses explications.

Hoshanna Rabba survient le septième et dernier jour de la fête de Souccot[5]. Il fait partie de ce que l'on appelle les « jours redoutables », au cours desquels le Jugement, rendu à Roch Hachana (la nouvelle année) et consigné à Yom Kippour (le jour du Grand Pardon), entre en vigueur. Il s'agit d'un acte divin qui concerne l'ensemble de l'humanité mais qui touche en particulier les non-Juifs, et, parmi eux, ceux qui ont voulu porter atteinte à l'intégrité du peuple juif. « Le jugement des nations est prononcé, dit le Zohar, les sentences sont délivrées par le Trône céleste et les jugements exécutés le jour même. » La coutume commande alors de faire le tour de la pièce et de frapper le sol à l'aide de branches de saule en scandant : « Israël a gagné, Israël a gagné » (psaume 26 verset 6).

« Ce qui veut dire, poursuit le Professeur, que les condamnés à mort de Nuremberg ont été exécutés le jour où Dieu, après avoir jugé les ennemis de notre peuple, met Sa sentence à exécution... Vous commencez à mieux comprendre le mystère du Livre d'Esther ? »

Sur le coup, la révélation me laisse sans voix. Mais cela ne dure guère : mes réticences, que je vais puiser dans ma formation ou ma culture, sont encore trop fortes. J'ai bien conscience

---

5. Hoshanna Rabba a lieu tous les ans le 21 Tichrit.

de jouer les trouble-fête, mais je ne peux pas m'en empêcher. Il en faudrait plus pour faire vaciller ma raison.

« Disons que j'y vois l'effet du hasard d'un calendrier. Une coïncidence. »

Le Professeur éclate de rire, en levant ses mains vers le ciel, comme si je venais de raconter la meilleure blague de l'année.

« J'aime bien ces défis ! s'exclame-t-il. Pour tout vous dire, je préfère convaincre avec des mots, des idées, des concepts quelqu'un qui résiste plutôt que d'avoir en face de moi quelqu'un qui gobe tout ce que je peux lui raconter. Messieurs, conclut-il en se levant, nous allons employer les grands moyens, sortir l'artillerie lourde, mais, comme il se fait tard, je pense qu'un bon café nous fera le plus grand bien ! »

Pendant qu'il file à la cuisine, j'en profite pour sortir sur le balcon. Il est plus de 2 heures du matin, la nuit est calme et je suis en pleine ébullition. Pas une âme dans la rue, et des milliers d'idées qui se bousculent dans ma tête. Qu'est-ce que j'attendais, au juste ? Des révélations aux allures de miracles ? Des preuves irréfutables d'une présence divine ? En tout cas, des faits plus consistants que ceux qui m'ont été proposés jusqu'à présent. J'avoue que le monde dans lequel le Professeur veut m'attirer est tentant, avec cette touche de magie ou d'ésotérisme qui fascine. Ce serait, je m'en rends compte, tellement plus simple d'y adhérer ! Seulement voilà, je n'y parviens pas. Je veux des faits, une succession de faits qui pourraient m'ébranler et, peut-être, me faire changer d'avis. Mais, je dois le confesser, même si je n'ai rien laissé paraître, mon cartésianisme et mon obsession rationnelle commencent à être entamés.

Quelques tasses de café plus tard, l'esprit plus à l'affût que jamais, nous sommes prêts à reprendre la discussion. « Les grands moyens, l'artillerie lourde », a prévenu le Professeur.

Je n'ai aucune idée de ce qui nous attend, mais je suis décidé à me battre pied à pied avec toute interprétation hasardeuse ou toute coïncidence d'origine céleste.

« Vous vous souvenez de ce coup de fil mystérieux que j'ai reçu et qui m'a mis sur la voie du code… »

Mordechay Neugroschel a retrouvé son attitude de conférencier, la voix toujours aussi monocorde, une demi-douzaine de livres à portée de main, dont deux nouveaux qu'il est allé chercher dans sa bibliothèque pendant la pause-café. C'est peut-être entre leurs pages que se cachent ses armes secrètes.

« Nous avons donc les dix enfants d'Aman, dix garçons, à en juger par les prénoms, et de l'autre côté, à Nuremberg…

— … nous avons *onze* condamnés à mort ! »

Mon objection a fusé, sans lui laisser le temps de terminer sa phrase. J'ai le sentiment de marquer un point, et, pourtant, je ne saurais dire à ce moment-là si je suis heureux ou déçu que les chiffres ne correspondent pas.

« Précisément, enchaîne le Professeur. Seulement voilà, dans la *Meguila*, il existe un passage sur lequel on glisse, à mon avis, un peu vite… Quel est ce passage ? »

Il s'empare du Livre d'Esther et traduit au fur et à mesure les caractères hébraïques qu'il nous désigne du doigt.

« Le roi Assuérus vient d'avoir une insomnie. Il a consulté les archives du palais et a pris connaissance d'un complot, fomenté par des eunuques, que Mardochée a réussi à dénoncer à temps. Il décide alors de le remercier et de le récompenser de la manière suivante… Je lis : "Il ordonna que Mardochée, vêtu comme un roi, fût placé sur un cheval blanc que tirerait Aman, à pied, et promené dans les rues de Suse."

» Le traité de *Meguila* nous apprend alors (il reprend le livre)… que la fille d'Aman, pensant que son père est sur le cheval et Mardochée à pied, se saisit d'un sac de détritus et le lance sur celui qui guide le cheval. L'incident fait grand bruit au palais, au point que, lorsque le décret royal concernant la pendaison de la descendance d'Aman est pris, sa fille fera partie du lot. Et l'on retrouve le chiffre onze, à Nuremberg comme à Suse. »

Je m'attendais à une botte secrète. Je ne savais pas quelle forme elle prendrait, mais je la sentais arriver. Les textes et les faits sont têtus. Moi aussi ! Il me faudra quelques secondes pour reprendre mes esprits, moins d'une minute pour trouver la parade. Elle est évidente et porte le sceau de l'Histoire avec un grand « H ».

« J'entends bien. Le seul problème, c'est que la veille de l'exécution à Nuremberg, il se produit un événement inouï : l'un des onze condamnés à mort se suicide. Il s'agit de Göring. »

C'est l'un des rebondissements les plus incroyables du procès de Nuremberg. Aujourd'hui encore, les historiens discutent des conditions dans lesquelles il s'est déroulé. Voici, du moins selon les témoins directs et le site Internet consacré à l'événement, comment les choses se sont déroulées :

Vers 22 heures, le 15 octobre 1946, le Dr Mueke apporte, comme tous les soirs, un comprimé de Seconal à Göring. Celui-ci l'avale et, d'un ton indifférent, demande si cela vaut la peine de se déshabiller. Le médecin, terriblement gêné, s'en tire par une réponse évasive : « Certaines nuits sont très brèves », dit-il.

À 22 h 45, la sentinelle affectée à la garde de Göring observe, par le judas, que le prisonnier, couché sur son lit, se conduit bizarrement. Ce sont d'abord les mains qui agrippent convulsivement la couverture. Puis, les spasmes s'étendent au bras. Le visage se crispe, les jambes s'agitent, le torse se jette à gauche et à droite, il se cabre...

« Hey ! »

Le cri de la sentinelle retentit dans le couloir. L'officier de service accourt, ouvre la porte, se penche sur l'ex-maréchal. Déjà, les spasmes commencent à s'apaiser. Mais l'énorme corps

*reste tordu sur lui-même, légèrement appuyé sur les coudes.
La respiration est haletante, des gouttes de sueur roulent sur
son visage.*

L'officier et la sentinelle comprennent que le prisonnier leur
échappe. Ils le soutiennent, lui tapotent les joues, mais sans
conviction. Le médecin, prévenu entre-temps, croit d'abord
qu'il s'agit d'une crise cardiaque. Mais, soudain, le visage de
Göring devient absolument bleu, le corps retombe – un dernier
râle, et c'est fini.

Comment Göring a-t-il pu se procurer du poison dans une
prison où il était surveillé vingt-quatre heures sur vingt-quatre ?
Qui le lui aurait remis ? Pendant longtemps, on a pensé que
la pilule de cyanure était cachée dans ses affaires depuis le
premier jour de son incarcération et qu'elle aurait échappé aux
multiples fouilles auxquelles sa cellule était soumise. Et puis,
il y a quelques années, en 2005, le *Los Angeles Times* publia
la confession d'un ancien gardien de la prison de Nuremberg,
Herbert Lee Stevers, affirmant être celui qui, sans le savoir, avait
fourni le poison à Göring. Selon lui, deux hommes lui auraient
demandé de remettre à Göring un carnet de notes et un stylo
où, selon lui, le cyanure était sans aucun doute dissimulé. « En
apprenant son suicide, je me suis senti immédiatement coupable…
Et aujourd'hui, à plus de 80 ans, j'ai préféré dire ce que j'avais
sur le cœur parce que je n'avais plus la force de vivre avec ça. »

Quoi qu'il en soit, le 16 octobre 1946, il n'y avait plus que
dix hommes à exécuter.

Je devrais triompher ; pourtant, au fur et à mesure que j'expose
le déroulement de cet invraisemblable retournement de situation, je sens mon euphorie décroître. Il est impossible que le
Professeur ait ignoré cette péripétie. Cet homme est une ency-
clopédie à lui tout seul, nous avait averti le Rav Bloch : il sait
tout sur tout, il est historien de formation… Au moment où je

termine mon exposé, la mine réjouie de Mordechay Neugroschel me laisse à penser que je viens de livrer mon baroud d'honneur.

« Cette histoire est incroyable, commence-t-il. Du reste, mettez de côté les similitudes avec le Livre d'Esther, et vous obtenez une histoire que l'on a peine à croire. Tout le déroulement de ce procès de Nuremberg échappe aux canons de la logique – j'y reviendrai tout à l'heure. Nous avons même droit à un final digne des plus grands classiques de la tragédie, assorti du suicide de l'un des personnages et d'une parole énigmatique avant la mort d'un autre, le fameux "Pourim 1946". Si tous les acteurs de ce drame n'étaient pas responsables de la mort de 6 millions de Juifs, on aurait envie de se lever, d'applaudir et de s'incliner devant le génie de cet auteur inconnu. Peu d'événements de l'histoire de l'humanité bénéficient d'une orchestration aussi magistrale.

» Je vous invite à reprendre les textes... Dans le traité de *Meguila* (écrit, je vous le rappelle, il y a mille cinq cents ans), on apprend qu'après l'incident du sac de détritus la fille d'Aman prend conscience de sa méprise : elle a enseveli son père sous les ordures ! Elle a ajouté l'insulte à l'injure qui lui était faite devant toute la population de la capitale du royaume ! Elle a osé lever la main sur son géniteur ! Couverte d'opprobre, meurtrie jusqu'au plus profond d'elle-même, ne supportant pas le poids de sa honte et de sa culpabilité... elle décide de se suicider en se jetant d'un pont. Un épisode confirmé par le Livre d'Esther lui-même. »

Le Professeur se saisit alors d'un autre livre et déclame en traduisant à la volée :

« Après cela, Aman rentra chez lui endeuillé – littéralement "en deuil, prêt à endosser les habits de deuil".

» Quoi qu'il en soit, conclut-il en reprenant mes paroles précédentes, le jour de la pendaison, il n'y avait plus que dix hommes, les dix enfants mâles d'Aman, à exécuter. »

Tous mes arguments ont été balayés. Au moment où le Professeur a repris sa démonstration, je savais que je n'avais plus aucune chance. J'ai utilisé toutes mes armes, ma technique de questionnement, ma capacité d'analyse et une logique implacable qui frise l'obsession. Le bras de fer intellectuel engagé quelques heures plus tôt tourne au fiasco, je suis K.-O. debout, essayant désespérément d'accrocher un regard de Yohan, du Rav Bloch qui me permettrait de relever la tête. Mais non, ils semblent plongés dans une extrême concentration, le visage grave, les yeux errant sur les livres qui sont désormais éparpillés sur la table. J'ai la sensation désagréable d'être sur une embarcation qui fait naufrage, ne sachant plus comment juguler les voies d'eau qui percent la coque, n'ayant plus assez de bras pour colmater les brèches. Le navire s'enfonce. Doucement, mais il s'enfonce.

Avec l'énergie du désespoir, je tente quand même une dernière percée. Mais je n'y crois plus guère.

« Et l'anachronisme ? Vous savez... lorsque Esther se présente devant Assuérus, au lendemain de la pendaison des enfants d'Aman, et que le roi lui demande d'émettre un souhait qu'il exaucera sur-le-champ. Elle lui dit : "Que l'on pende Aman et sa descendance"... Or, ils ont été pendus la veille. Ça n'a aucun sens.

— C'est une prophétie », rétorque le Professeur.

Le sourire a déserté son visage, la fatigue ou la concentration a dessiné des rides sur son front.

« Esther nous dit qu'il y aura un deuxième projet de Solution finale et que ses responsables devront être pendus, comme Aman et ses enfants l'ont été en Mésopotamie. Elle nous en donne même la date : 1946, le jour de Hoshanna Rabba... Elle précise le nombre : dix, ils seront dix ! Elle nous dit qu'il y aura un suicide à Nuremberg, comme deux mille trois cents ans auparavant à Suse... C'est une prophétie ! Voilà pourquoi, lorsque j'ai fait cette découverte, décrypté le code, je n'ai pas été surpris, non, le mot est trop faible : j'ai été choqué. C'était trop vrai, il y avait trop de détails correspondants ! Je savais, je pressentais que les choses étaient là, mais de là à les lire dans un texte ancien... J'étais sous le choc !

» Et si vous avez encore quelques doutes, laissez-moi vous parler de deux ou trois choses qui achèveront peut-être de vous convaincre. »

Nous ne sommes plus dans la démonstration universitaire. La voix se fait plus forte, le rythme de la phrase s'accélère, les mains s'agitent. C'est un véritable rouleau compresseur qui se met en marche.

« La potence... Vous êtes-vous demandé pourquoi le tribunal de Nuremberg a décidé de choisir la pendaison pour exécuter les condamnés à mort ? Habituellement, concernant des officiers, on les fusille. Si on adoptait les pratiques allemandes, ils auraient dû être décapités à la hache. Si les Français avaient imposé leur mode opératoire, cela aurait dû être la guillotine. Mais non, on a préféré la pendaison. Pourquoi ? Parce que la procédure anglo-saxonne prévalait à Nuremberg et donc son mode d'exécution ? Peut-être... Toujours est-il qu'ils ont été pendus. Comme à Suse, deux mille trois cents ans plus tôt. Dans la *Meguila*, on insiste beaucoup, pour une raison bizarre, sur le matériau qui doit servir à la construction de la potence : le bois. Cela semble aller de soi, surtout à l'époque. Mais le texte revient à plusieurs reprises sur la nécessité d'utiliser le bois... Or, non seulement, la potence de Nuremberg est en bois (alors que l'on aurait pu choisir un autre matériau), mais le bourreau, un sergent américain de 43 ans, s'appelait... John Woods. "Bois" en anglais. Drôle, non ?

» Je pourrais vous citer tellement de choses troublantes... Allez, encore une : savez-vous quelles étaient les couleurs favorites d'Aman ? Le rouge et le noir : les couleurs du Reich !

Ce sont les couleurs d'Aman qui ont inspiré l'effroi sur toute l'Europe pendant la Seconde Guerre mondiale ! »

Je me rends. Il est 5 heures du matin et je suis abasourdi, hébété, un peu ivre. Les idées dansent dans ma tête et me ramènent à chaque fois vers une conclusion que je ne parviens pas à accepter en l'état : le Livre d'Esther annonçait la Shoah. J'ai besoin de réfléchir, de revenir sur tous les points avancés au cours de la nuit, de prendre un peu de recul et d'examiner les différents éléments l'un après l'autre. Acceptons le hasard comme un facteur extérieur à l'histoire. Mais le hasard peut-il se répéter à l'infini, comme dans un jeu de miroirs en abyme, dans un espace-temps si déterminé ? Percevant mon malaise, Yohan me passe une main amicale dans le dos. De la compassion, sans doute, mais également la volonté de me pousser à lâcher prise, à abandonner la bataille et à accepter l'invraisemblable. Trop tôt, trop vite ! J'étouffe après cette avalanche, brillante, de preuves ou d'interprétations, ces similitudes, ces correspondances. « Vous n'en sortirez pas indemnes », avait prévenu le Rav Bloch. Pour le moment, j'ai surtout besoin de temps. D'un peu de temps et de beaucoup d'air frais.

Le mont des Oliviers

Le ciel commence à blanchir lorsque le Rav Bloch nous dépose devant notre hôtel. Le trajet s'est effectué en silence, la voiture filant dans des avenues désertes qui n'allaient pas tarder à retrouver leur activité dès que le jour serait levé. Je déroule pour la dixième fois les événements en cascade de ces dernières heures, tâchant de trouver une faille, de déterminer le moment où tout a basculé. En vain. Et pourtant, j'ai la très nette sensation qu'il me manque un élément, que l'histoire n'est pas encore terminée. Rien de précis, mais un sentiment diffus qui m'interdit de m'en tenir là et d'accepter sans broncher la théorie et les découvertes du Pr Neugroschel.

C'est dans ces moments-là que les amis sont précieux. Yohan a parfaitement capté l'état d'excitation dans lequel je me trouve. Il se doute bien que le sommeil a fui et qu'il est hors de question pour moi de regagner ma chambre pour aller dormir comme le ferait toute personne normalement constituée après une longue journée de travail. Il a déjà élaboré une stratégie afin de m'aider à retrouver mes esprits, à intégrer les informations de la nuit et à faire le point sur la suite à donner à notre enquête.

Sitôt la voiture du Rav Bloch disparue, alors que je fais les cent pas devant l'hôtel en m'obligeant à respirer profondément, il me saisit le bras et nous dirige vers le parking.

« Hé, où on va, là ?

— Tu te laisses guider, me répond-il doucement. Tu me fais confiance et tu te tais. »

Dix minutes plus tard, nous sommes devant le plus beau spectacle du monde. Le soleil se lève sur Jérusalem, dissipant peu à peu la brume matinale. Déjà, les rayons accrochent les feuilles d'or du dôme de la mosquée al-Aqsa. Ils viennent caresser les murailles de la Vieille Ville, faisant progressivement passer de l'obscurité à la lumière les énormes blocs de granit centenaires. Un léger murmure monte jusqu'à nous, la rumeur de l'activité humaine, achevant de chasser les fantômes de la nuit. L'appel du muezzin nous surprend alors que Yohan et moi décidons de nous asseoir sur un muret de pierres mal assemblées, au sommet du mont des Oliviers. En contrebas, les dalles blanches du plus grand cimetière juif du monde. Selon la tradition, c'est ici que le Messie apparaîtra et réalisera la résurrection des morts – ceux qui y sont enterrés seront donc parmi les premiers ressuscités. Au pied de la colline, on aperçoit le clocher de la basilique de Gethsémani, bâtie autour de la fameuse roche où Jésus aurait prié avant sa Passion. Et puis, accrochant déjà le soleil, les bulbes d'or de l'église orthodoxe russe de Sainte-Marie-Madeleine.

Plusieurs minutes s'écoulent avant que Yohan ne brise le silence.

« Ça va mieux ? »

Je mets un moment avant de répondre.

« Oui, beaucoup mieux. Je suis encore un peu groggy, j'ai du mal à faire le tri parmi l'avalanche d'informations qui s'est abattue sur nous, mais ça va mieux… »

Les jambes endolories, le dos bloqué et la respiration courte, j'ai l'impression de sortir d'un marathon qui aurait duré toute la nuit. Pourtant, le soleil qui monte derrière nous commence déjà à réchauffer les corps et à apaiser les esprits.

« Qu'est-ce que tu penses, toi, de tout ça ?

— Convaincant ! rétorque Yohan. Je n'en reviens pas ! J'ai envie de te dire comme le Professeur : je ne suis pas surpris, je pressentais tout cela. Mais je suis choqué ! »

Il s'arrête quelques secondes et repart aussitôt :

« La première chose qui m'ait interloqué, c'est quand il nous a dit qu'il avait été mis sur la piste par un coup de fil. Il ne savait plus qui l'avait appelé ni où cette personne avait lu l'information, mais il s'était mis immédiatement au travail sans se poser plus de questions.

— Et alors ?

— Comment ça, "et alors" ? Tu connais beaucoup de mecs qui décryptent un mystère vieux de 2 300 ans à la suite d'un coup de fil dont ils ne savent plus rien ? Tu trouves ça plausible ? »

Yohan commence à parler par saccades. Il agite les mains et donne à penser qu'il remet en cause ce que nous avons entendu. Un moment, j'ai l'impression qu'il va me rejoindre dans la sphère du scepticisme.

« Ça ne tient pas debout, reprend-il sans attendre ma réaction. Non, la vraie raison, elle est ailleurs : il nous l'a donnée lui-même. "C'est une lumière qui m'est tombée du ciel", dit-il. Cela te fait penser à quelque chose ? Par pudeur probablement, il n'a pas voulu nous dire qu'il avait reçu un signe d'origine divine... »

Je suis déçu. J'ai cru que mon ami partageait mes doutes et ce sentiment d'inachevé qui ne m'a pas quitté depuis notre rencontre avec le Professeur. Au contraire, Yohan a trouvé en une nuit la justification de sa foi, l'aboutissement de ses années de travail et la preuve irréfutable qu'il ne s'était pas trompé. Je ne peux pas le suivre sur ce terrain ; mon ami le sait et tient à respecter mes convictions.

« Je vais t'avouer quelque chose... continue-t-il sur sa lancée. Tu m'as énervé avec toutes tes questions. En tout cas, au début.

157

On avait l'impression que tu avais engagé un bras de fer avec Neugroschel... Mais, en même temps, quelle constance ! Quel professionnalisme ! Il fallait que tu trouves la faille, sans rien laisser de côté. Coûte que coûte, tu voulais des preuves, des faits et pas d'interprétations. Franchement, tu m'as impressionné... »

Il n'en fallait pas plus pour me libérer. Je pars dans un immense éclat de rire qui évacue toutes les tensions accumulées depuis hier soir. Quelques passants se retournent, surpris et sans doute choqués par cette hilarité manifestée de façon aussi exubérante devant un cimetière. Puis le silence s'installe à nouveau entre nous, chacun perdu dans ses pensées. Puis Yohan relance la conversation :

« Au fait, tes parents ont connu Jérusalem ?

— Euh... oui. Mais pourquoi cette question ?

— Je ne sais pas... Ce cimetière, ta mère qui est à l'origine de notre rencontre, la nuit que nous venons de passer... Je ne sais pas... »

Ce n'est pas la première fois que Yohan me parle de ma mère. Régulièrement, il la convoque lorsque nous ne sommes pas d'accord sur un point ou s'il me sent fléchir devant les difficultés pour mener à bien notre projet. Comme s'il pensait que sa simple évocation pouvait nous aider à résoudre les problèmes. Il l'ignore, ou peut-être s'en doute-t-il, mais c'est la démarche qui est la mienne depuis que ma mère nous a quittés.

« C'est drôle que tu me parles de mes parents... Maintenant et ici... Je vais te raconter... »

Ils en rêvaient, de ce voyage. Mais à l'époque ils étaient âgés et n'imaginaient pas le faire seuls, d'autant qu'un voile noir s'était définitivement posé sur les yeux de mon père. De ce côté-là, il faut dire que ma mère avait pris les choses en main.

Son mari était aveugle ? Qu'à cela ne tienne, elle remplacerait par sa voix le sens que mon père avait perdu. Elle devint donc pour lui une sorte de logiciel de reconnaissance visuelle portatif. Elle prit l'habitude de lui rapporter par le menu tout ce qu'elle voyait : paysage, tableau, scènes de la vie quotidienne, visages des passants, vêtements qu'ils portaient, tout y passait... Elle parlait, décrivait, donnait des couleurs à une perception qui les avait perdues, encouragée par mon père, qui posait des questions et réclamait un détail qu'elle avait omis de signaler. C'était étourdissant ! À une ou deux reprises, je me suis même livré à une expérience très particulière : alors que nous étions tous trois confortablement installés à une terrasse de café, j'ai fermé les yeux pour tenter d'imaginer ce que ma mère dépeignait à mon père. J'ai laissé s'écouler quelques instants, et j'ai ouvert les yeux. C'était parfait, tout y était, rien ne lui avait échappé, elle avait repéré des éléments sur lesquels je serais passé sans m'y arrêter. Et ce n'est pas tout : elle avait également remplacé la canne que mon père a toujours refusée. Sitôt arrivé dans le hall d'entrée de l'immeuble où ils habitaient, juste avant de sortir dans la rue, mon père empoignait le bras droit de ma mère pour ne plus le lâcher jusqu'au retour à la maison. Il l'attrapait si fort qu'au fil des années une déformation du triceps était parfaitement perceptible sur le bras de ma mère, comme une poche de chair où on aurait pu retrouver la trace de cinq doigts, la trace d'une main d'homme qui en avait fait l'axe vivant de sa sécurité.

Aussi, lorsque mon frère André vint les voir pour leur proposer le voyage en Israël, leur réaction fut à l'image du couple étonnant qu'ils formaient : ma mère explosa de joie tandis que mon père essuya des larmes d'émotion. Qu'on les comprenne bien : mes parents n'allaient pas chercher à Jérusalem un rattachement tardif à la religion – ils étaient pratiquants, mais sans observer strictement les préceptes de la Torah. Sans le formuler, ils savaient qu'ils partaient pour renouer avec leur identité juive. Pour eux, Israël était ce désert de pierres et de sable qui avait été transformé en oasis où coulaient à présent le lait et le miel, un pays où le fait d'être juif ne posait problème à personne, un îlot de liberté dans un océan de barbarie, une fierté dont les réalisations rejaillissaient sur tous les Juifs du monde entier. C'était avant la guerre du Liban, avant les deux intifadas, avant que la question palestinienne ne se pose dans toute son acuité, avec son cortège de souffrances.

Le programme concocté par mon frère et sa femme, Monique, ne leur offrit aucun répit : chaque jour, ils partaient à la découverte de leurs racines, allaient sur les traces de Jésus, sur celles de Mahomet. Ils sont montés vers le nord à Tibériade, ont rêvé devant la mer de Galilée ; ils ont voyagé vers le sud, à Eilat, où les promoteurs immobiliers commençaient à massacrer les rivages de la mer Rouge ; ils ont admiré l'architecture Bauhaus de certains immeubles de Tel-Aviv avant de déambuler devant la plage et de retrouver un certain parfum perdu de Méditerranée. Et puis, Jérusalem...

Le Kotel, la Via Dolorosa, l'esplanade du Temple, Yad Vashem, les églises catholiques ou russes orthodoxes, ils ont tout visité, arpentant les ruelles de la Vieille Ville comme les larges avenues de la Jérusalem moderne, commentant leurs découvertes le soir en rentrant à l'hôtel, infatigables et insatiables. Mais, pour une raison mystérieuse que je ne m'explique toujours pas aujourd'hui, c'est le mont des Oliviers qui allait laisser, surtout à mon père, un souvenir impérissable. Il voulait tout savoir : y avait-il vraiment des oliviers ? Combien ? Étaient-ils grands ou petits ? Quelle était la couleur des tombes du cimetière ? À quoi ressemblait Jérusalem vue d'ici ? Et ma mère répondait, décrivait sans relâche le panorama, donnant à voir par sa voix ce que son mari ne pouvait plus distinguer. Quelques semaines plus tard, à Paris, je mesurerai l'extraordinaire voyage que mon père avait entrepris malgré son handicap. Ils avaient invité quelques amis chez eux afin de leur raconter leur périple en Terre sainte. La conversation allait bon train lorsque ma mère entreprit de décrire leur visite au mont des Oliviers. Durant tout le récit, qu'elle n'hésitait pas à enjoliver de temps à autre, mon père resta coi. Ce n'est qu'à la fin qu'il se décida à intervenir :

« Comme d'habitude, ma femme a oublié l'essentiel !

— J'ai oublié quelque chose ? interrogea ma mère, agacée par la remarque.

— Les couleurs ! répondit-il. Les couleurs dorées du dôme d'al-Aqsa qui resplendissait sous le soleil et la blancheur des pierres tombales du cimetière. »

Et lui qui était aveugle d'ajouter :

« La réverbération était tellement forte qu'on était obligés de plisser les yeux pour bien voir. »

Je souris en offrant mon visage au soleil. Le temps d'une histoire, je les ai retrouvés tous les deux.

« En fait, elle était les yeux de ton père, risque Yohan au bout d'un moment.

— Elle l'a été une bonne vingtaine d'années... Je vais t'avouer quelque chose : elle avait une telle attitude positive dans la vie que je me suis souvent demandé si, de temps en temps, elle ne lui décrivait pas ce qu'elle aurait souhaité voir plutôt que ce qu'elle découvrait ! »

Des cris d'enfants nous ramènent doucement à la réalité. Une princesse et un soldat romain accompagnés par ce qui semble être un mamelouk tirent les dernières salves de Pourim. Quelques pas derrière, les parents peinent à suivre leur progéniture galopant sur la route qui descend vers la ville.

« C'est la fin de Pourim, constate mon ami.

— Pourim, que ma mère avait l'habitude de conclure par une phrase solennelle : "Sachez mes enfants, disait-elle, qu'Aman n'a pas disparu... À chaque époque apparaît un nouvel Aman." »

Et soudain, l'illumination. Le voilà, mon chaînon manquant, l'élément qui me faisait défaut depuis notre nuit chez le Professeur. Je sais à présent pourquoi j'avais comme un goût d'inachevé dans la bouche... L'idée est simple : si le code que recèle le Livre d'Esther correspond à une quelconque réalité, alors il nous manque un personnage clé : Aman ! Aman de la Peste brune, un conseiller du premier ou second cercle autour de Hitler, l'homme de l'ombre, l'éminence grise qui aurait pu l'inspirer. Celui qui l'aurait aidé à formuler son idéologie de mort, tel le premier ministre d'Assuérus proposant à son roi de se débarrasser de tous les Juifs du royaume. Si nous le trouvons, alors nous aurons établi le lien indiscutable avec un texte vieux de 2 000 ans. À nous de jouer...

« Debout Yohan ! On a encore du boulot. »

IV

Sur les traces d'Aman

Je pensais que la voiture était le moyen de locomotion le plus approprié pour emprunter la Route romantique. Tandis que je préparais le voyage, j'imaginais suivre les méandres de cette voie touristique qui relie Würzburg à Füssen en passant par Landsberg am Lech, notre destination, à quarante-cinq minutes environ de Munich. J'avais envie d'arriver doucement afin de me laisser gagner par la beauté des paysages de la Bavière et de m'imprégner de l'atmosphère particulière de la région, l'une des plus belles mais aussi l'une des plus conservatrices d'Allemagne. Seulement voilà, il pleut des cordes, la brume empêche de voir à plus de 20 mètres et la température ne dépasse pas les 3 °C. Comble de malchance ou signe du destin ? La serveuse de la cafétéria dans laquelle nous nous sommes réfugiés pour nous réchauffer s'appelle Mme Goebbel, ainsi que l'indique le badge accroché à son tablier. D'accord, il manque un « s », mais je ne peux m'empêcher d'éprouver un léger malaise.

Sitôt rentrés de Jérusalem, nous nous étions jetés à corps perdu dans le travail. Notre nouvel objectif : retrouver les traces d'un Aman proche de Hitler. Mais par où commencer ? Sa naissance à Braunau am Inn, en Autriche, où il grandira sous la férule d'un père autoritaire ? Sa jeunesse à Vienne alors qu'il essaie vainement d'être admis à l'Académie des beaux-arts ? Son engagement pendant la Première Guerre mondiale, au cours de laquelle il sera plusieurs fois blessé ? Ou alors son entrée en politique dès l'annonce de l'armistice de 1918, ressenti comme un véritable « coup de poignard » ? De rapides recherches et la lecture de nombreux livres avaient enrichi ma connaissance sur le sujet mais n'avaient livré aucun secret. Je décidai alors d'entamer l'enquête par la première manifestation intempestive de sa carrière, l'événement fondateur du nazisme : le coup d'État manqué de la brasserie de Munich.

Dans la soirée du 8 novembre 1923, à la Bürgerbräukeller, établissement renommé de la capitale bavaroise où sont engloutis chaque jour des milliers de litres de bière, Hitler réunit ses principaux collaborateurs : Hermann Göring, Ernst Röhm, Rudolf Hess, Henrich Himmler et un certain... Julius Streicher. Soutenu dans un premier temps par le triumvirat dirigeant la Bavière, le futur Führer compte rallier à sa cause les forces armées et la police. Manque de préparation, improvisation, inexpérience : le putsch tourne court et, le 11 novembre, Hitler est arrêté. Il sera condamné à cinq ans de prison et détenu à la forteresse de Landsberg. Il n'y restera finalement que neuf mois mais en profitera pour écrire le manifeste du national-socialisme : *Mein Kampf*. Après cet épisode, plus rien ne s'opposera à l'irrésistible ascension d'un petit caporal de l'armée allemande.

Le chantier était vaste, mais la bibliographie ne manquait pas – et, même si des dizaines de livres avaient été écrits sur cette période, certaines zones d'ombre subsistaient concernant ses mois de détention à Landsberg. Sans compter que la perspective de l'enquête sur le terrain, dans cette Bavière catholique et traditionaliste, ne me déplaisait pas.

De façon un peu mystérieuse, Yohan avait immédiatement adhéré à ma proposition.

« Très bonne idée ! Tu pars quand ? m'avait-il demandé avec un léger sourire.

— Le temps de préparer le voyage, de faire quelques recherches et de prendre des contacts sur place. Tu as une idée derrière la tête ?

— Pas grand-chose... Mais ce serait bien de gratter du côté de *Mein Kampf*... Que la force des Ravs soit avec toi !

— Alors, si nous avons leur bénédiction, plus rien ne s'oppose à mon déplacement ! » avais-je répondu en éclatant de rire.

Quelques heures plus tard, je n'allais plus rire du tout.

Cette fois-ci, je pars avec Axel, mon ami allemand, qui, outre sa maîtrise de la langue germanique, possède une solide connaissance de la Bavière. Il m'a déjà aidé, depuis Paris, à obtenir un certain nombre de mes rendez-vous en Allemagne. En glanant des informations sur cette petite ville de Bavière, j'ai découvert l'horreur absolue : l'existence à Landsberg d'un univers concentrationnaire. Pas moins de onze camps d'extermination avaient été bâtis aux environs de la ville. Demandez autour de vous, on vous citera Auschwitz, Dachau, Birkenau, que sais-je ? Personne ne citera Landsberg. Pourquoi ? Que s'y est-il passé pour qu'on occulte à ce point ce haut lieu de mort ? Des milliers d'hommes et de femmes y ont été massacrés et seuls quelques spécialistes le savent, uniques réceptacles de la mémoire. C'est pourtant le premier camp que les Américains découvriront en 1945. Pourquoi cette amnésie ?

Je noircis le trait : il y a quelques années, Steven Spielberg et Tom Hanks ont consacré un épisode de leur remarquable série *Band of Brothers* à la libération de Landsberg, mais le nom de la ville était à peine mentionné. Le film, bouleversant, s'intitulait *Pourquoi nous combattons*, un titre que je décide, un peu pompeusement, de reprendre à mon compte. En quelques heures de recherches, Landsberg est pour moi devenue la parabole parfaite de l'Allemagne nazie : tout était parti de sa prison avec la rédaction du fameux manifeste, et tout se dénouait vingt ans plus tard avec la libération des camps de concentration. La présence d'Axel à mes côtés se révélerait très précieuse. C'est en grande partie à son opiniâtreté que je dois d'avoir découvert l'inimaginable. Mais reprenons par le commencement.

La pluie n'a pas cessé de toute la nuit. Les rues, désertes hier soir passé 19 heures, grouillent de vie. Quelques embouteillages se forment le long du pont sur le Lech, un affluent du Danube qui fait son entrée dans Landsberg en quatre cascades majestueuses. Nous nous pressons vers la vieille ville par des rues étroites bordées de maisons patriciennes aux couleurs pastel. C'est une ville riche, cossue, qui a su préserver son architecture au fil des siècles sans jamais céder aux sirènes de la modernité. Détail rare en Allemagne, qui nous sera confirmé un peu plus tard : de toute évidence, la ville n'a pas souffert de bombardements pendant la guerre. Nous voici déjà sur la Grand-Place pavée, point névralgique de la ville, bordée de magnifiques façades baroques à caractère religieux.

« La Vierge est partout présente, commente Axel. Ici les gens sont catholiques et veulent le faire savoir. J'ai compté une bonne quinzaine d'églises ou de chapelles depuis que nous avons quitté l'hôtel. La ville en est truffée. »

Le temps de jeter un œil à la grande tour de Bavière, la construction la plus élevée de la ville, et nous sommes arrivés aux archives de la municipalité. Tous les carillons de la ville sonnent 8 heures du matin. Elke nous y attend. Nous l'avons contactée de Paris pour lui demander de nous aider dans nos recherches. Petite, brune, âgée d'une quarantaine d'années, serrée dans son jean et sa veste noire cintrée, cette historienne n'a manifestement pas de temps à perdre. Elle nous conduit au pas de course dans son bureau, situé au premier étage du bâtiment, et nous désigne d'un geste énergique les documents qu'elle a pu recueillir sur les camps de Landsberg. Pas un mot pour s'enquérir de notre voyage, de l'hôtel dans lequel nous sommes descendus, pas d'invitation à nous débarrasser de nos manteaux lourds de pluie ou à prendre place autour de la grande table de réunion : nous avons la très nette impression d'être tolérés mais en aucun cas bienvenus.

Une coupure de journal, un texte, manifestement ancien, dactylographié et un annuaire nous attendent. C'est le résultat de ses recherches. Aussi surpris que moi, Axel lui demande de nous présenter les documents.

« Le journal date de 2005, répond-elle rapidement. Il raconte une journée particulière de 1945, lorsque les Américains sont entrés dans la ville. Le texte est le témoignage d'un habitant de Landsberg sur cette période et l'annuaire est ouvert à la page où se trouvent son adresse et son numéro de téléphone. Je vous laisse en prendre note. »

Et elle regagne son bureau, contigu à la salle de réunion, nous plantant là, partagés entre le rire et la colère. Il en faut plus pour décourager Axel, qui la poursuit en quête d'un supplément d'informations. Je lui emboîte le pas.

« Vous avez contacté l'auteur du témoignage ? lui demande-t-il un peu nerveusement.

— J'ai essayé. Mais je crois que c'est un vieux monsieur très malade. Rien ne vous empêche de tenter votre chance. Vous en obtiendrez peut-être plus que moi !

— Savez-vous dans quelles conditions ce texte a été écrit ? Est-ce l'extrait d'un journal intime ou d'un rapport de police ?

— Je n'en sais rien. Il était aux archives lorsque je suis arrivée dans le service. Adressez votre question à l'auteur de ce témoignage ! »

Surprenante, cette absence totale de curiosité chez une personne qui se prétend historienne...

« Et le journal ? poursuit Axel, nullement impressionné par son manque évident de bonne volonté. J'imagine que vous n'allez pas nous le confier... C'est une coupure originale...

— Ah, si cela vous intéresse, je peux vous en faire une photocopie... »

Elle quitte alors son bureau et disparaît derrière une porte, nous laissant à nouveau seuls. Une minute plus tard, elle est de retour, triomphante, avec la photocopie en question.

« Autre chose ? demande-t-elle.

— Oui, deux choses... »

J'interviens bille en tête, sans me soucier de son état d'esprit.

« Je veux dire deux questions... Je peux vous les poser ? »

Axel assure la traduction.

« Il s'est produit des événements... pas banals à Landsberg, surtout au cours des deux dernières années de la guerre. Comment expliquez-vous cela ?

— Ce qui s'est passé avant n'était pas banal non plus ! Si vous voulez me faire dire que les camps étaient aux portes de la ville et que personne n'a protesté, alors je vous le dis tout net : nous n'avions pas le choix. Il valait mieux baisser les yeux en passant à proximité des camps et garder le silence. C'était une question de vie ou de mort pour la population de Landsberg.

— Et vous, en tant qu'historienne, que pensez-vous de... cette tragédie ?

— Moi ? C'est mon travail ! Je suis employée par les archives de la ville. Point ! »

Je baisse les bras. Nous n'en saurons pas plus. Elle est dans son rôle de parfaite fonctionnaire – et je pense à un ami qui me disait que la Shoah n'aurait pu avoir lieu sans la bureaucratie allemande de l'époque.

Une nouvelle fois, Axel relève le gant. Il a compris, mieux que moi, que nous devions poser des questions, lui demander des informations : l'extrême conscience professionnelle de cette femme lui interdirait de ne pas nous répondre.

« Nous voulons visiter les camps ! lui lance-t-il.

— Ah, mais vous avez besoin d'une autorisation.

— Eh bien, vous allez nous donner cette autorisation !

— Elle ne dépend pas de moi. C'est une organisation qui s'en occupe.

— Laquelle ?

— Attendez un instant. Je vous la trouve tout de suite, dit-elle en consultant son ordinateur. La voici ! »

L'imprimante crache une feuille qu'elle nous tend avec fierté.

« Oui, reprend Axel, plongé dans la lecture du document, mais il n'y a pas de numéro de téléphone ! Comment voulez-vous que nous contactions ces gens ?

— Une seconde, je vais vous le donner... Je l'ai !

— Parfait ! J'utilise votre téléphone pour les appeler. »

Axel ne lui laisse pas le choix. Il se saisit du combiné et tape le numéro dans la foulée. Elke ne bouge pas pendant les trois minutes que dure la conversation.

« Nous avons rendez-vous dans une demi-heure, annonce Axel avant de se tourner vers l'historienne. Pardon de vous quitter si rapidement, mais nous sommes un peu pressés. Merci encore pour votre aide si précieuse ! »

Elke ne se lève pas pour nous raccompagner, les yeux rivés à son écran d'ordinateur.

La pluie a redoublé d'intensité. Les essuie-glaces de notre voiture peinent à dissiper ce rideau d'eau qui se déverse sur la campagne bavaroise. Nous cherchons désespérément une pancarte indiquant l'entrée du camp à la lisière de la forêt. Il nous faudra six passages consécutifs devant l'endroit supposé du rendez-vous pour la découvrir. Elle est minuscule, à peine 30 centimètres de côté, avec une inscription en allemand d'où se détache une étoile de David. Le message est clair : pas question d'entacher la vocation touristique de la Route romantique par la réminiscence d'un passé honteux. De fait, le véritable repère se trouve de l'autre côté de la départementale : un calvaire de fabrication récente, donc postérieure au camp, encadré par deux bouleaux, qui attire l'œil du voyageur en le détournant du panneau maudit.

Protégés par un parapluie vert fluo, seule note de couleur dans ce paysage gris liquide, nous décidons de faire quelques pas malgré la boue qui colle à nos chaussures. Nous avons un bon quart d'heure d'avance. Devant nous s'étend un vaste terrain long d'une centaine de mètres sur environ 30 mètres de largeur. Çà et là, quelques blocs de pierre polie sont disposés sur l'herbe, tels des monolithes de granit montant la garde devant l'entrée du camp. Celui-ci n'est pas visible de l'endroit où nous nous trouvons, la forêt dense interdisant au regard de se porter au-delà du pré. Le sentiment que tout a été fait pour dissimuler ce lieu de mémoire est de plus en plus insistant. Il faut scruter, chercher, fouiller pour trouver, ou alors, comme dans la série produite par Spielberg et Hanks, tomber dessus par hasard.

En ces derniers jours d'avril 1945, la 101e aéroportée américaine a investi Landsberg. Composée de la 506e Easy Company, de la 10e division armée Tiger et de la 4e division, elle est entrée dans la ville sans rencontrer la moindre résistance. Prenant rapidement position aux endroits stratégiques de la ville, elle a instauré un état d'alerte qui restreint les déplacements des habitants. Des patrouilles ont été organisées dans la ville mais également dans la campagne avoisinante. L'une d'entre elles, composée de six hommes, doit explorer la forêt située au nord. Depuis leur arrivée sur le sol européen, ces soldats ont de la chance. Leur avance en territoire allemand s'opère plus rapidement que prévu : les villes tombent les unes après les autres sans bombardements ni échanges de coups de feu, l'armée allemande abandonnant ses positions quelques heures avant l'arrivée des troupes américaines. Ces militaires, âgés d'une vingtaine d'années, viennent du Kansas ou de l'Ohio. Ils savent se servir d'un fusil ou d'une mitraillette ; ils peuvent tenir quarante-huit heures sans manger ni boire à crapahuter dans la boue ; le froid et la neige ne leur font pas peur, mais ils n'ont pas été préparés à ce qu'ils s'apprêtent à découvrir.

Ils sont donc six *boys* dans les bois de Landsberg. C'est une patrouille de routine : il s'agit seulement d'inspecter la zone, de marcher parmi les arbres qui renaissent après le long hiver et de s'assurer qu'il ne reste aucune poche ennemie tapie au fond de la forêt. Ils parlent du pays, de la famille ou de la qualité de la nourriture qui leur est servie. Ils ne craignent rien, et, pourtant, alors qu'ils s'approchent de ce qui ressemble à une vaste clairière, tous les six marquent un temps d'arrêt. Le lieu est trop calme, trop tranquille : sentiment d'un danger imminent qui peut surgir de nulle part. Le doigt sur la détente, ils s'avancent doucement et, au sortir de la forêt, se figent sur place. Ce qu'ils découvrent ne porte pas de nom.

Cinq hommes restent pétrifiés devant ce qu'ils ne sauraient pas décrire, et le sixième prend ses jambes à son cou. Direction Landsberg, le centre de commandement. Vite, un officier ! Le sergent, un lieutenant ou même le général ! Il faut qu'ils viennent et voient ce qu'il a vu ! Il court à travers bois, sur les sentiers, sur la route et dans les ruelles de la vieille ville. Il ne sait pas encore ce qu'il va dire ni comment expliquer ce que ses camarades et lui ont découvert. On ne l'a pas préparé à ça, on ne lui a pas dit que cela pouvait exister. Le souffle court, il ne peut que répéter : « C'est inimaginable. » Sur la Grand-Place, près du Q. G. des forces américaines, il repère un officier. Il s'accroche à son bras et lui hurle :

« Il faut venir ! Il faut voir !

— Mais quoi ? Qu'y a-t-il ? lui demande l'officier, légèrement excédé.

— Je ne sais pas, répond le soldat. C'est inimaginable. Mais venez, vite, je vous en prie ! »

Quelques minutes plus tard, c'est en jeep, accompagné d'une vingtaine d'hommes, que notre GI rejoint ses camarades. Son officier peut enfin comprendre son émoi.

Agglutinées derrière la lourde porte en bois et en fils de fer barbelés, des centaines de créatures squelettiques en pyjamas rayés. Ils sont jeunes, pour la plupart, d'une maigreur extrême, ils ont le regard de ceux qui ont vu l'enfer. Ils sont immobiles ou se traînent le long des allées du camp, proches des baraquements d'où commencent à sortir des fantômes qu'un simple souffle pourrait renverser. Autour d'eux, des dizaines et des dizaines de cadavres en décomposition. Un homme s'avance et embrasse un soldat. Il va lui expliquer qu'ils sont ici parce qu'ils sont juifs, que les Allemands sont partis il y a quelques heures, au petit matin. Il va lui raconter qu'avant leur départ, les SS ont incendié l'un des baraquements avec des femmes vivantes à l'intérieur et qu'ils ont utilisé toutes leurs munitions, tuant tous les Juifs qu'ils pouvaient. Il va lui révéler que tous ceux qui sont encore là seraient morts si les Allemands avaient possédé plus de cartouches. Et il pleure.

La 101e aéroportée vient de découvrir ce que l'on appellera plus tard un « camp de concentration », l'Holocauste et la Shoah.

« Je crois que c'est notre homme ! »

La voix d'Axel me ramène brusquement à la réalité, devant ce terrain détrempé où nous attendons de visiter un camp de concentration. Je grelotte et je claque des dents : le froid ou la peur de craquer.

Une silhouette, comme une apparition, raide sur son vélo, tenant d'une main le guidon et de l'autre un énorme parapluie noir, lutte en pédalant contre le vent et la pluie. Déjà, le cycliste ralentit et vient se ranger devant notre voiture.

« Alors, c'est vous, les journalistes français ? »

Surprise : il parle parfaitement notre langue.

« Il faut dire que je suis marié à une Française, explique-t-il en extirpant du porte-bagages une lourde sacoche marron en cuir. J'ai toute ma vie dans ce cartable ! Je ne m'en sépare jamais. »

L'homme est grand, avec des cheveux blancs coiffés d'une casquette à carreaux, des yeux bleus perpétuellement en mouvement que ne parviennent pas à cacher des lunettes, et une fine moustache poivre et sel. Il porte un jean à bretelles qui s'enfonce dans des bottes vertes en caoutchouc. Son blouson noir, ouvert, laisse entrevoir une chemise bariolée et un pull à grands losanges verts et bleus. Autour du cou, une grosse chaîne en argent avec des dizaines de clés de toutes tailles auxquelles sont parfois accrochés des porte-bonheur et de minuscules cadenas. Il parle fort, en insistant sur certains mots, dans un flot ininterrompu qu'il déverse sur ses interlocuteurs, ponctuant régulièrement sa phrase d'un « Vous comprenez, monsieur ? ». En le découvrant, il y a un instant, perché sur son vélo, j'avais pensé à Monsieur Hulot. En apprenant les péripéties de sa vie, je comprendrai rapidement qu'il me fallait plutôt lui chercher une filiation du côté de Don Quichotte.

Il s'appelle Anton Posset, il a 71 ans, et son histoire est totalement invraisemblable. Protestant en terre catholique, il a été très vite renseigné sur le fait qu'il n'était pas comme les autres. Il est encore enfant lorsque son grand-père maternel est interné à Dachau. Opposant au IIIe Reich, il affirmait ses convictions un peu trop fort ; accusé de bolchevisme, il séjournera dans le premier camp de concentration de l'histoire nazie quelques mois avant la guerre. Le petit Anton apprendra ainsi les notions d'injustice et de cruauté. Du côté paternel, le grand-père était visionnaire. « Il avait lu *Mein Kampf* à la fin des années 1920, et je me souviens qu'un soir il nous a tous réunis pour nous dire que, si rien n'était fait pour arrêter Hitler, il y aurait bientôt une guerre mondiale qui occasionnerait des millions de morts. » Les gènes de la démocratie et de la justice sont définitivement dans son sang. Il opte pour la carrière de professeur d'histoire, mais sa façon d'enseigner la Seconde Guerre mondiale n'est pas du goût de tout le monde : il aura droit à plusieurs rappels à l'ordre de la part du ministère bavarois de l'Éducation. On le montre du doigt, il passe pour un original, mais il continue à se battre, avec ses moyens, pour le respect de ses idées. Et c'est en 1985 que sa vie va définitivement basculer.

Il apprend qu'une partie du terrain sur lequel était situé le camp de concentration de Landsberg est en vente.

« Après la guerre, le terrain avait été acheté par un paysan qui ne savait pas ce qui s'y était passé. À sa mort, ses héritiers ont voulu s'en débarrasser en le mettant aux enchères. J'étais persuadé que la Ville allait se porter acquéreur de cette parcelle, d'autant qu'elle possédait le reste du camp. À ma grande surprise, cela n'a pas été le cas. Et j'ai emporté le morceau pour 80 000 marks – environ 40 000 euros.

— Mais pourquoi vouliez-vous acheter ce terrain ?

— Parce que j'étais obsédé par ce qui était arrivé. Je voyais déjà régulièrement des détritus sur les parcelles appartenant à la Ville. Ils avaient même goudronné une partie du camp. Je ne pouvais pas laisser faire ça ! Vous comprenez, monsieur ?

— Vous voulez dire que, dès le début, vous vouliez en faire un lieu de mémoire ?

— C'était mon vœu le plus cher! Tout le monde m'a traité de fou, mais je ne me suis pas découragé. Tous les week-ends, au début, je venais travailler seul, défricher ce qui pouvait l'être, dégager les endroits en ruine, faire un travail d'archéologue sur ma propre histoire, dans mon propre pays. »

Une démarche qui me rappelle fort celle de mon ami Yohan, resté à Paris.

« Et personne ne vous a aidé?

— Après quelques années, oui… Mais au début, rien ni personne! On m'a même mis des bâtons dans les roues. La Ville a tout fait pour que j'abandonne mon projet. Mais j'ai tenu bon. J'avais envie d'être juste, d'apporter un peu de justice sur une terre qui avait connu l'horreur… Vous comprenez, monsieur? »

Il fait des moulinets avec ses longs bras, il s'agite et ponctue chaque mot de l'extrémité de son parapluie replié qu'il plante dans la terre. La pluie ruisselle sur son visage, des gouttes d'eau restent accrochées à sa moustache, mais il parle, il parle – ou plutôt il éructe – et s'indigne devant l'hypocrisie et l'amnésie volontaire. Don Quichotte, vous dis-je.

Je n'ai jamais visité de camp de concentration. J'ai peur de me laisser submerger par l'émotion, d'en ressortir horrifié, et de me préparer des nuits de cauchemars… J'éprouve aussi de la pudeur, et une certaine conscience de la vanité de ma démarche : quoi que je puisse ressentir, je n'approcherai jamais la vérité de l'horreur et resterai un spectateur passif planté devant des vestiges en bois auxquels il me faudra donner vie en utilisant mon imagination. Et je n'ai pas envie d'imaginer… Après tout, qui suis-je, moi, avec mon calepin noir, homme libre du XXIe siècle, pour oser porter un regard sur un lieu qui pue à ce point la mort? Je sais que je digresse. À cet instant, il n'est plus question d'Esther, d'Aman ou de Streicher – juste d'une

177

crainte de porter atteinte à la dignité d'hommes disparus et du sentiment de violer une sépulture.

De toute façon, je n'ai plus le choix. Anton nous conduit à l'extrémité du pré, en lisière de la forêt, devant une barrière de bois vermoulu et de fils de fer barbelés rouillés. Il extirpe deux clés de son collier et ouvre les deux cadenas qui maintiennent la porte fermée. Et le camp nous saute à la gorge.

« Ici, nous explique notre guide, ce sont les baraquements des femmes. Ceux des hommes étaient situés sur les terrains qui appartiennent à la Ville. »

À gauche, les sanitaires, avec les carrés de douches parfaitement visibles, et un trou à même la terre pour les latrines. Les murs ont disparu, mais les structures intérieures sont intactes. À droite, les cuisines, où subsistent des traces de charbon à moitié enfoui dans la terre. Deux robinets rouillés, l'un pour l'eau froide, l'autre pour l'eau chaude, dressent fièrement leur silhouette parmi les ruines, témoignages d'un système de circulation d'eau extrêmement ingénieux au dire d'Anton, alimentant l'ensemble du camp. Face à nous, un baraquement parfaitement conservé. Il s'agit d'une construction à la forme arrondie, comme un long tuyau d'une dizaine de mètres, recouvert de tourbe sur ses parois extérieures, et où s'entassaient 140 femmes. Trois petites marches pour y accéder et nous sommes à l'intérieur d'un espace voûté, sans une seule fenêtre, haut de 2,5 mètres environ à son sommet, au sol en terre battue, et dans lequel les couchages à deux niveaux s'étalaient sur toute la longueur du bâtiment. Aujourd'hui, la pièce est nue, encombrée de débris d'étranges tuiles roses qui en forment la structure.

« Ce ne sont pas des tuiles, commente Anton. Ce sont des fusées de céramique. Une invention française. Regardez… dit-il en ramassant l'une d'entre elles. C'était un système génial pour l'époque ! »

Et il me place entre les mains un cylindre long d'une quinzaine de centimètres dont les extrémités, munies d'un pas de vis, permettaient un assemblage facile et résistant. L'originalité du procédé, copié sur la structure du bambou, offrait la possibilité aux ingénieurs de construire des voûtes sans recourir à des piliers de soutien : il suffisait de visser les « fusées » les unes aux autres pour créer des arceaux plus ou moins arqués, d'enduire le tout de ciment, et le tour était joué. Je souffle sur ce drôle d'objet oblong en m'aidant du doigt pour enlever la poussière et faire apparaître les inscriptions qui y sont gravées. Un filet de sueur froide coule le long de mon dos. On peut lire : « Jacques Couelle – Marseille. » J'apprendrai un peu plus tard que cette invention est l'œuvre d'un architecte français, Jacques Couelle, que l'on a longtemps comparé à Le Corbusier en raison de son travail sur le béton. Il est mort en 1996, mais, plus de soixante ans après, sa structure tient toujours. Savait-il, cet architecte, que ses « fusées » avaient servi à construire des baraquements dans un camp de concentration ? J'en doute – encore que la commande de l'armée allemande n'ait été un secret pour personne à l'usine. A-t-il préféré ignorer la destination et l'usage qu'en feraient les nazis ? Je n'en sais rien, mais j'ai tout à coup envie de vomir.

« Vous comprenez, monsieur ! continue Anton. Ce n'était pas un camp provisoire. Il a été construit pour durer ! »

Je suis sorti du baraquement en direction de la forêt. La pluie n'a pas cessé, mais, cette fois, je l'accueille avec bonheur. En quelques minutes, je suis trempé, pataugeant dans la boue, mais qu'importe… Ce déluge qui tombe du ciel me permet de reprendre pied dans le réel : la mention « Marseille » me laisse un goût de cendre au fond de la gorge.

« À quel moment de la guerre le camp a-t-il été créé ? » questionne Axel.

Il a parlé pour briser le silence, pour chasser les fantômes des fusées de céramique…

« C'est le 18 juin 1944 que le premier convoi d'Auschwitz est arrivé ici, explique Anton, retrouvant des accents de professeur. Il s'agissait de 1 000 Juifs que l'on a envoyés ici avec une mission bien précise : les nazis voulaient construire trois gigantesques bunkers souterrains qui permettraient le développement du projet *Ringeltaube*. Il s'agissait de construire l'avion le plus révolutionnaire de l'époque : le Messerschmitt Me 262. Ils ont donc construit onze camps dans les environs de Landsberg qu'ils ont appelés "Kaufering", du nom d'une localité voisine. Entre le 18 juin 1944 et la libération du camp, en avril 1945, on sait que près de 30 000 personnes sont passées par là.

» Une moitié d'entre eux sont morts, victimes de mauvais traitements, de la famine et du typhus. Ces camps sont considérés aujourd'hui comme les plus durs qu'aient jamais édifiés les

nazis. D'ailleurs, les prisonniers lui avaient donné un surnom :
"le Crématoire froid". »

Anton s'interrompt un moment. Ruisselant de pluie, il nous
laisse digérer ses informations pendant que ses yeux vont se
perdre dans la forêt avant de revenir sur le bâtiment en fusées
de céramique.

« C'était un camp *après* Auschwitz, reprend-il à voix basse.
C'était pire… Landsberg constituait la dernière étape pour la
destruction des Juifs.

— Et à Landsberg, dans la ville ? insiste Axel. Personne n'en
parlait ?

— Non ! Je ne veux pas leur jeter la pierre. C'était une époque
difficile. Ils savaient qu'un seul mot pouvait les condamner à
mort. Mais ils n'en ont même pas parlé aux Américains lorsque
ceux-ci sont arrivés à Landsberg ! Personne n'a cru bon de leur
dire qu'un camp existait à quelques centaines de mètres du
centre-ville ! Et lorsque le camp a été découvert, ils continuaient
à dire qu'ils ne savaient pas, qu'ils n'avaient jamais rien su, que
ça ne les concernait pas. C'est à ce moment-là que l'état-major
américain a pris une décision sans précédent. »

Le général Taylor, commandant la 101e aéroportée, est
bouleversé. La visite des camps et le silence de la population
allemande le conduisent à prendre un arrêté qui fera date.
Il convoque la presse américaine présente sur le sol allemand,
et en particulier ces équipes cinématographiques de l'armée qui
accompagnent les *boys* depuis le débarquement en Normandie.
Parmi ces cinéastes, Billy Wilder, le futur réalisateur de *Sunset
Boulevard* et de *Certains l'aiment chaud*, se trouve non loin
de Landsberg. Le dimanche 27 avril, il est à pied d'œuvre dans
cette petite ville de Bavière pour y tourner une séquence des
Moulins de la mort, un court-métrage de vingt-deux minutes
racontant la découverte de l'univers concentrationnaire nazi.
Parallèlement, le général Taylor ordonne à tous les hommes

valides des villages alentour de se rendre dans les camps afin d'enterrer, à mains nues, les centaines de corps de prisonniers jonchant le sol.

Un jeune garçon de quinze ans a vécu cette journée. Il s'en souviendra toute sa vie. Son témoignage se trouvait, un peu plus tôt dans la matinée, sur le bureau de l'historienne de Landsberg en charge des archives de la ville. Pourquoi a-t-il écrit cette confession ? S'agit-il de l'extrait d'un journal intime ? Ou cherchait-il à décharger sa conscience ? Là encore, nous ne le saurons pas : atteint de la maladie d'Alzheimer, il ne se souvient plus de rien – sa femme nous avouera même au téléphone qu'elle ignorait l'existence de ce texte.

Encore une chose avant de lui passer la parole : c'est un adolescent qui parle. Il a toujours cru ce qu'on lui disait à propos des bolcheviques ou des Juifs. Il a toujours pensé que l'armée de son pays représentait le Bien et que les armées ennemies personnifiaient le Mal. Il considère donc naturellement les troupes américaines à Landsberg comme une force d'occupation. À l'évidence, il n'a pas fait de longues études, s'exprime comme il parle et manifeste deux obsessions présentes tout au long du témoignage : manger à sa faim et nettoyer sa maison.

Voici ce qu'il raconte :

Aujourd'hui, 8 mai 1946, un an après les faits, il est temps pour moi de raconter ce qui s'est passé durant les derniers jours de la guerre.

C'était le 20 avril 1945, un vendredi. L'ennemi s'était déjà profondément enfoncé à l'intérieur de l'Allemagne et progressait jour après jour. Les alertes se succédaient et nous ne trouvions plus rien à manger. [...]

Le mardi 25, l'ennemi était à 15 kilomètres d'Augsbourg. On disait que Landsberg allait être bombardée, que les dépôts d'alimentation étaient vides, que quiconque sortirait avec un drapeau blanc serait fusillé sur-le-champ... Les survols des avions ennemis étaient de plus en plus fréquents. [...]

Toute la nuit du 26 au 27 avril, les explosions se sont succédé. Le matin du 27, un vendredi, le pont sur le Lech a été détruit pour arrêter la progression de l'ennemi. Vers midi, par la fenêtre de la cuisine, j'ai vu que les tanks américains étaient en ville. Nous avons quand même pris notre repas malgré le survol des avions ennemis. On essayait simplement de ne pas s'approcher trop près de la fenêtre. À 15 heures, malgré les tirs à l'extérieur, nous avons pris un bon café. On a essayé de sortir dans la rue, mais c'était impossible : l'infanterie américaine occupait le terrain. Les drapeaux blancs ont fleuri de partout. Nous avons fait comme les autres : nous avons ouvert notre porte et nous avons attendu. Des Américains sont entrés chez nous : ils cherchaient des armes. Ils étaient très polis. Ils n'ont rien trouvé et n'ont rien pris. Tout s'est bien passé mais nous avions un drôle de sentiment, les mains en l'air, avec la certitude que l'homme en armes en face de vous pouvait faire ce qu'il voulait de votre vie. [...]

Le dimanche 29 avril 1945 restera la pire journée de mon existence. Pour la première fois de ma vie, j'ai été amené à savoir un peu ce qui se passait dans les camps de concentration.

À 9 heures du matin, une patrouille de trois Américains est arrivée à la maison et nous a ordonné à mon père, au Dr Proeger et à moi de les suivre pour travailler. Au départ, nous n'avons pensé à rien, heureux à l'idée de sortir un peu de la maison. Rudi, mon frère, était resté dans sa chambre parce que son pied était dans le plâtre. Quand nous avons quitté la maison, j'ai remarqué un Américain devant le portail qui nous a photographiés. Je ne savais pas que cette scène allait être reprise dans un film sur les camps de concentration : Les Moulins de la mort.

183

Devant chaque maison, les Américains faisaient sortir les hommes valides et nous nous sommes retrouvés très vite une vingtaine de personnes. Le plus âgé avait 70 ans et le plus jeune, mon âge : 15 ans. On apprendra plus tard que les Américains voulaient enrôler le prêtre de Landsberg, Hörmann, mais que sa fonction ecclésiastique l'avait finalement protégé.

On nous a tous fait monter dans un camion. Les rumeurs ont commencé : nous allons être fusillés, on allait nous emmener en Russie, etc. Ils nous ont conduits en direction de Kaufering puis, nous avons tourné à gauche et nous avons devant nous un camp de Juifs. Le camion s'est arrêté et nous sommes descendus. Tout de suite, un Juif nous a crié avec de la bave au bord des lèvres : « Maintenant, vous allez savoir comment les SS nous ont traités ! » On nous a ensuite expliqué que nous devions creuser une fosse commune pour enterrer les Juifs morts qui traînaient partout.

Ce qui vient maintenant est la pure vérité.

Après avoir passé le portail, nous avons pénétré dans le camp en marchant au pas. J'ai été le premier à me sentir mal. Le Juif m'a alors sorti de la colonne en hurlant : « Fils de Hitler ! » et il m'a donné un coup de poing au visage. Pendant que les uns ramassaient les morts juifs, moi je creusais. Des cadavres, il y en avait partout, par terre, à moitié nus ou brûlés. Les Américains nous surveillaient pendant que le Juif se servait d'un bâton pour frapper plusieurs membres de mon groupe alors que ceux-ci travaillaient dur. Grâce à Dieu, il ne m'a pas frappé mais il m'a donné un nouveau coup de poing. Je ne sais pas à quoi je ressemblais.

Après un certain temps, on a inversé les rôles. Ceux qui creusaient devaient transporter les morts. On les transportait à deux : l'un prenait le cadavre par la tête et l'autre par les pieds. On nous avait interdit d'utiliser des gants. C'est comme ça qu'on devait prendre les cadavres partiellement décomposés. Et cela, sans s'arrêter. Si quelqu'un restait seulement une seconde sans bouger, il recevait un coup de bâton. Les Américains surveillaient en s'amusant et rigolant. Bizarrement, personne n'a manifesté de sentiment de dégoût : la peur d'être fusillé était trop grande pour prendre le risque de refuser d'accomplir ce travail. Nous avons ainsi travaillé à peu près trois heures sans pause.

Après, les Américains ont formé un groupe dont je faisais partie et nous avons marché pendant à peu près 1 kilomètre jusqu'aux rails de la ligne Kaufering-Lechfeld-Augsbourg. Il y avait environ cinquante morts par terre. Nous devions les ramasser alors que nous étions déjà épuisés et les ramener au camp proprement dit. On ne peut pas décrire ce que nous avons alors ressenti. Dans la forêt, 1 kilomètre plus loin, il y avait d'autres cadavres mais ceux-ci étaient dans un état horrible. On voyait des mains arrachées, des têtes sans corps... Mais cette fois, au moins, on pouvait les ramener au camp avec un vieux chariot. Après un certain temps, un major américain se mit au milieu de ces centaines de cadavres et a prononcé un discours. Il disait : « Vous devez vous imaginer que tous ces gens étaient aussi des êtres humains qui pensaient, sentaient, parlaient et voyaient comme vous. » Mais en voyant ces cadavres, on ne pouvait pas imaginer cela : ils étaient carbonisés, découpés, ensanglantés avec seulement la peau sur les os. Après on a encore creusé et un Américain nous a dit : « Dans ce camp, il y avait le typhus et des poux. Alors vous allez brûler vos vêtements et saupoudrer ce que nous allons vous donner : du DDT. » Évidemment, il n'y en avait pas pour tout le monde. Brûler nos vêtements ???? Et qui nous en donnera d'autres ?? Et puis, un camion nous a ramenés à la maison. À côté de moi, il y avait un homme dont le manteau était infesté de centaines de poux. Il l'a jeté du camion mais qui sait combien de ces poux étaient déjà sur lui ou sur nous ?

Quand nous sommes arrivés à la maison, ma mère a pensé que de nouveaux étrangers venaient pour la voler : après neuf heures de travail forcé, elle ne nous avait pas reconnus. [...]

Le 13 juin, nous avons pu récupérer notre maison qui avait été réquisitionnée. Le 1ᵉʳ juillet, tout était à nouveau nettoyé mais chaque fois qu'une voiture passait dans la rue, nous nous précipitions à la fenêtre dans l'angoisse qu'elle ne vienne nous déloger.

C'est comme ça que tout cela est arrivé. Mais la vie n'a plus jamais été la même.

Manfred Neumayer, le 8 mai 1946.

« Vous croyez que c'était une bonne idée d'obliger la population à enterrer à mains nues les cadavres de prisonniers ? »

Nous nous dirigeons doucement vers la sortie du camp. Je jette encore un dernier coup d'œil aux fusées de céramique, et Anton s'est accroupi pour fermer le dernier cadenas.

« Les Américains n'avaient pas le choix ! répond-il en se relevant. C'était pour les obliger à voir la vérité et mettre un terme au mensonge. Remarquez... Plus de soixante ans après, je ne sais pas si cela a servi à quelque chose. On fait tout ici pour effacer ces camps de la mémoire. Vous savez qu'en Allemagne les élèves doivent obligatoirement faire un voyage avec leur classe dans un camp de concentration ? Eh bien, ceux de Landsberg ne viennent jamais ici ! On les envoie à Dachau, à 60 kilomètres d'ici ! Vous comprenez, monsieur ?

— Et les fosses communes, les baraquements des hommes ?

— Comme je vous l'ai dit, ils se trouvent sur le terrain appartenant à la Ville. On ne peut pas les visiter. Si on ne fait rien, il y aura peut-être bientôt un centre commercial à leur emplacement ! »

Et il éclate d'un rire puissant qui se répercute jusqu'à la forêt. La visite est terminée. Anton enfourche son vélo et ouvre son parapluie. Il repart avec ses clés, sa sacoche bourrée de photos en noir et blanc datant de la libération du camp, et son combat pour faire de son terrain un lieu de mémoire pour l'éternité – « Juste pour témoigner de ce qu'il advient quand la folie est au pouvoir et qu'il n'existe plus de règles », nous a-t-il glissé tout à l'heure.

« Au fait, nous lance-t-il au moment de nous quitter. Vous êtes allés voir la prison de Landsberg ?

— Nous comptons nous y rendre demain.

— Je vous conseille d'y aller ce soir un peu avant 19 heures. Il y a une petite église qui jouxte la prison… Vous ne pouvez pas la rater. Elle abrite le "cimetière des pendus", les nazis qui ont été exécutés à la prison après 1945. Vous aurez le temps de le visiter avant la messe. Vous verrez un bouquet de tulipes sur une tombe. C'est celle d'Oswald Pohl. Une main inconnue la fleurit régulièrement… Quand je vous dis que cette ville n'a toujours pas réglé ses comptes avec son passé ! Vous comprenez, monsieur ? »

Et il nous laisse, suspendus à ses coups de pédale, pour affronter le vent et la pluie.

Aman à Landsberg

L e lourd carillon de la cathédrale sonne 18 heures lorsque nous arrivons devant la prison de Landsberg. La bâtisse est imposante, avec son porche central en arc flanqué de deux grosses tours de briques roses coiffées de bulbes verts, à la manière des églises de la ville, donnant curieusement une touche orientale à l'architecture générale de l'édifice.

La pluie a cessé et la température s'est radoucie. Nous en profitons pour faire quelques pas le long du mur d'enceinte, surmonté de barbelés courant sur plus d'une centaine de mètres. La rue est déserte, surveillée à chaque extrémité par deux postes de garde ; les sentinelles doivent se demander qui sont ces deux individus qui se promènent, le nez en l'air, devant la forteresse. Je n'ose imaginer ce qu'ils penseraient s'ils savaient que nous sommes à la recherche d'un certain Aman. Pour le moment, il faut bien avouer que notre enquête est au point mort. Il est vrai que nous ne sommes à Landsberg que depuis vingt-quatre heures. J'ai entrepris ce voyage mû par l'intuition un peu folle que je découvrirais ici, dans l'entourage de Hitler, l'ombre d'un Aman du xxᵉ siècle, mais pas un instant je n'ai imaginé que dès notre arrivée nous allions retrouver sa trace dans les ruelles de la vieille ville. Du reste, rien ne prouve que je ne sois pas en train de me fourvoyer : après tout je ne suis pas du tout sûr d'adhérer aveuglément, comme le fait Yohan, aux thèses des rabbins que nous avons rencontrés à Jérusalem. J'ai passé en revue tous les personnages liés à la création puis à la libération des camps de concentration, les Américains comme les Allemands... Mais rien, pas la moindre piste sérieuse. Certes, Landsberg a suscité des émotions violentes, enfouies à présent au plus profond de mon esprit, et qui ne me quitteront probablement plus jamais, ainsi que le sentiment de m'être approché au plus près de la Bête immonde... Des épreuves qui font sans doute partie de la quête, qui y sont inhérentes, constituant peut-être le chemin obligatoire et nécessaire avant la découverte de ce singulier Graal ; comme toutes ces fausses évidences devant lesquelles il est urgent de se montrer patient en ne négligeant aucune information. C'est la raison de notre présence à cet instant, au pied des murs de cette prison tristement célèbre.

Landsberg est étroitement associée au procès de Nuremberg. À partir de 1945, sa prison deviendra le principal centre d'incarcération pour les criminels de guerre nazis. Près de 1 500 d'entre eux y seront détenus, et 275 exécutés par pendaison, parmi lesquels figurent les principaux condamnés du procès des *Einsatzgruppen*. La forteresse sera fermée en 1958 avant d'être réhabilitée en 1966 sous l'autorité du ministère bavarois de la Justice. Aujourd'hui, après une transformation radicale des locaux visant à effacer toute trace de ses principaux occupants nazis, elle abrite des détenus de droit commun.

Une cellule nous intéresse. Elle se situe au premier étage, de l'autre côté du bâtiment, invisible depuis la rue où nous nous trouvons. Durant des années, elle fut l'objet d'un véritable culte pour avoir abrité un hôte illustre : Adolf Hitler.

Au lendemain du putsch manqué de la Brasserie, en novembre 1923, le futur Führer est incarcéré à Landsberg. Furieux, il menace de se suicider si ses conditions de détention ne sont pas améliorées. Un psychologue l'examine et pose sur lui un diagnostic sans appel : Adolf Hitler est hystérique, animé de pulsions morbides et dangereux. Très vite, pourtant, ce détenu un peu particulier va se calmer. D'abord parce qu'un certain nombre de ses camarades d'infortune le rejoignent en prison : Rudolf Hess, l'ami de la première heure, et Emil Maurice, son futur chauffeur, notamment. Ensuite parce que le directeur de la prison, Otto Leybold, largement acquis aux idées de Hitler, va tout faire pour transformer sa détention en une agréable villégiature : il met à sa disposition une cellule individuelle, propre et disposant, à travers les barreaux, d'une vue sur la campagne bavaroise – une photo prise par son photographe personnel, Heinrich Hoffmann, montre Hitler impeccablement vêtu, les yeux fixés vers l'horizon, au-delà de sa fenêtre grillagée. Il octroie au petit groupe de putschistes une salle à manger où ils peuvent se retrouver à tout moment de la journée ; il autorise les visites illimitées d'amis ou de sympathisants. Selon les registres de la prison, Hitler recevra 489 visiteurs durant les neuf mois de sa détention – presque deux par jour en moyenne –, qui le couvriront de cadeaux et lui apporteront les mets les plus raffinés. Lors de son anniversaire, le 20 avril 1924, dix-neuf jours seulement après le début de son incarcération, plus d'une trentaine d'invités se pressent dans sa cellule et la salle à manger, les bras chargés de fleurs et de gâteaux. En moins de deux semaines, il a réussi à se constituer un domaine où il règne en maître. Il est choyé, adulé. Il est temps pour lui d'utiliser sa période de détention pour poser par écrit les lignes de force de son programme.

Il lui faut une machine à écrire, du papier, des crayons, des gommes et du papier carbone. Il a besoin d'un bureau sur lequel travailler. Ses amis répondent présents pour lui permettre de mener à bien son projet. Emil Georg von Stauss, directeur de la Deutsche Bank et grand bienfaiteur du Parti national-socialiste, lui offre la dernière Remington mise sur le marché. Un sympathisant trouve dans un magasin de Landsberg la table qui lui permettra d'écrire à son aise. Winifred Wagner elle-même, belle-fille du compositeur et grande admiratrice du futur Führer, se charge du matériel de papeterie, en s'étonnant du soudain engouement d'Adolf Hitler pour la littérature.

Et Hitler se met à écrire. Des heures durant, il s'isole dans sa cellule pour coucher sur le papier les idées fondatrices du nazisme. Parfois, il préfère dicter ses pensées à l'un de ses collaborateurs. Chaque matin, à la salle à manger, il retrouve ses codétenus et leur lit ce qu'il a rédigé la veille. S'engagent alors des discussions passionnées où le jeune chef du Parti national-socialiste se révèle théoricien, meneur d'hommes et brillant orateur. Bientôt, ses qualités débordent le strict cadre de la prison. On lui envoie des livres de toute la République de Weimar. Il se plonge dans les ouvrages de Nietzsche, mais aussi de Bismarck et de Marx. Il lit et il écrit sans discontinuer. Il va peu à peu se forger une philosophie hybride, mélange improbable de théories raciales fumeuses dominées par un antisémitisme virulent et de théories économiques à l'emporte-pièce. Paradoxalement, sa détention lui donnera le loisir d'apporter la pierre manquante à son édifice idéologique : un livre, un manifeste qui lui permettra de toucher toutes les couches de la population et d'affirmer définitivement son autorité sur ses troupes.

« Pour la première fois, dit-il dans la préface, après des années de travail incessant, j'avais la possibilité de me consacrer à un ouvrage que beaucoup me pressaient d'écrire et que je sentais moi-même opportun pour notre cause. »

Le livre est pratiquement terminé lorsque Otto Leybold, le directeur de la prison, adresse en octobre 1924 un rapport aux autorités bavaroises afin de solliciter sa libération. « Hitler s'est montré un prisonnier ordonné et discipliné, écrit-il pour justifier sa demande. Il est docile, sans prétention et modeste. [...] Quand il retournera à la vie civile, ce sera sans esprit de revanche à l'égard de ceux qui, occupant des fonctions officielles, se sont opposés à lui. »

Deux mois plus tard, le 20 novembre 1924, après treize mois de détention, Hitler est libre. Dans ses bagages, un manuscrit de plusieurs centaines de pages tapées à la machine, annotées et raturées à la main, qui annonce l'imminence d'une apocalypse mondiale. Lorsqu'il quitte la prison de Landsberg, il a une seule idée en tête : trouver de toute urgence un éditeur.

« Voici l'église », annonce Axel.

Nous venons de laisser sur notre droite les murs de la prison filer jusqu'à un vaste terre-plein. Sur notre gauche s'ouvre une ruelle sombre où sont garées quelques voitures et le fameux jardin, dont nous a parlé Anton, dominé par l'église St. Ulrich.

Il suffit de pousser une porte en fer forgé de 1 mètre de hauteur, et nous voici au « cimetière des pendus ». Ici sont enterrés plus de 250 criminels de guerre jugés et exécutés à la prison de Landsberg entre 1945 et 1951 : Paul Blobel, responsable du massacre de Babi Yar en 1941, où furent assassinés près de 100 000 civils, en majorité d'origine juive ; Werner Braune, commandant du détachement spécial 11b des *Einsatzgruppen*, ces troupes tueuses qui ont conduit plus de 1 million de personnes à la mort entre 1940 et 1943 ; Erich Naumann, fier de ses trois camions mobiles permettant le gazage des Juifs à domicile, revendiquant personnellement la mort de 20 000 personnes, et probablement responsable de tant d'autres... Leurs tombes sont parfaitement alignées, comme dans un cimetière militaire, surmontées d'une drôle de croix en bois sombre qui se termine en chapeau, donnant l'impression au premier abord qu'il s'agit d'abris pour pigeons. Elles sont toutes anonymes, mais ce ne fut pas toujours le cas : jusqu'en 2003, chacune portait le nom de la personne qui y était enterrée. À la suite de plusieurs protestations, le Land de Bavière fut obligé d'effacer ces patronymes honnis.

Il ne faut pas hésiter à se rendre au fond du jardin. Sur la pelouse verte et grasse, objet de tous les soins d'un jardinier consciencieux et attentif, un bouquet de tulipes rouges, fraîchement cueillies, est délicatement posé devant l'une des tombes. Tout le monde sait à Landsberg qu'il s'agit de la sépulture d'Oswald Pohl, responsable de l'exploitation de tout ce qui provenait des camps de concentration (bijoux, vêtements, mais aussi cheveux ou dents en or). Mais chacun feint d'ignorer, dans le respect d'une omerta implacable, qui est la petite main qui vient la fleurir régulièrement.

Anton avait raison. Le « cimetière des pendus » offre le visage d'un havre de paix où il fait bon se promener, s'arrêter devant les croix et deviner qui y est enterré en se permettant même une pensée miséricordieuse (ou haineuse) à l'égard de ceux qui les ont exécutés. Et puis il y a le camp d'extermination, caché près de la forêt, avec ses baraquements en fusées de céramique et ses terrains en friche que l'on préfère tenir à l'écart des pas du visiteur.

« C'est la Bavière dans toute sa splendeur ! s'emporte Axel. D'un côté un camp abandonné où des milliers de Juifs ont été torturés et assassinés... et de l'autre un jardin bien propret où l'on soigne les tombes des assassins ! »

Voilà que l'envie de vomir me reprend. Je ne m'attendais pas, en commençant cette enquête, à une confrontation aussi brutale avec une idéologie que je croyais moribonde. Je ne parle pas de l'antisémitisme qui sévit encore et toujours, partout dans le monde ; mais je pensais que l'Allemagne, la première, avait fait la paix avec son passé douloureux. Ma rencontre avec la bande de punks au Zeppelin de Nuremberg m'avait confirmé que les nouvelles générations se sentaient totalement étrangères à cette hystérie meurtrière et collective qui avait saisi leurs aïeux. L'énergie déployée par tous les gouvernements allemands d'après-guerre pour condamner définitivement le nazisme, les marques de repentance assumées en conscience par tous les dirigeants du pays et par sa population me semblaient avoir tiré un trait définitif sur une histoire monstrueuse... Ce que nous venons de vivre en l'espace d'une journée remet à plat toutes mes convictions. Landsberg am Lech, sur la Route romantique, exhale encore les parfums d'une nostalgie nauséabonde.

« Je te l'avais dit, tempère Axel. La Bavière n'est pas l'Allemagne. Ce n'est pas un hasard si tout est parti d'ici. Le reste du pays exècre l'idéologie nazie. Je peux t'emmener à Berlin, à Francfort ou Hambourg – Hitler y est considéré comme un fou malfaisant qui a entraîné le pays dans la pire catastrophe de son histoire. Mais, même si je savais que cette terre était profondément traditionaliste et catholique, j'avoue que je ne m'attendais pas à ça!»

La pluie s'est remise à tomber. Quelques personnes se pressent en direction de l'église, sans un regard pour le cimetière. Nous décidons de leur emboîter le pas.

Une douce chaleur nous envahit en entrant dans ce lieu dominé par la simplicité, loin du baroque riche et ostentatoire des autres églises de la ville. Sur les murs blanchis à la chaux se détache un tableau très sombre représentant une scène de la Passion du Christ. Une demi-douzaine de fidèles occupent les travées pendant qu'une femme, sans doute l'assistante du prêtre, s'affaire près de l'autel. Elle doit avoir dans les 70 ans, les cheveux blancs tombant sur les épaules ; elle est strictement vêtue d'une robe sombre descendant jusqu'aux chevilles et d'un chemisier beige que recouvre partiellement un gilet noir. Elle époussette les napperons blancs brodés et prépare les objets qui serviront à la messe qui aura lieu tout à l'heure. Ses gestes sont précis et économes, empreints d'une grande délicatesse. Je décide de l'interrompre dans son travail pour lui poser une ou deux questions, à voix basse afin de ne pas troubler la quiétude du lieu. Axel assure la traduction. Elle a devancé notre intervention et nous accueille avec un large sourire.

« Pourrait-on vous demander, madame, qui est enterré dans le cimetière autour de l'église ? »

Ma question va provoquer un cataclysme intérieur qui n'était pas prévu. Le sourire se fige pendant qu'un léger tremblement envahit tout son corps. Elle avale à deux ou trois reprises sa salive et commence à émettre quelques sons inintelligibles. Sa respiration se raccourcit alors que ses yeux nous jettent un regard paniqué. Pas un mot cohérent ne sort de sa bouche, et sa poitrine se soulève de plus en plus rapidement. Des borborygmes parviennent à nos oreilles, et son visage est devenu livide.

Par réflexe, et parce que j'ai l'impression d'être le témoin d'un début d'infarctus, je pose la main sur son bras, espérant mettre un terme à son malaise. Elle s'en écarte violemment et retrouve du coup toute sa lucidité. La scène a duré près de deux minutes.

« Vous allez bien, madame ?

— Oui, oui… Ça va ! Excusez-moi… »

Ses joues ont retrouvé leur couleur rose naturelle. Sa respiration a repris un rythme normal. Mais elle donne l'impression de chuchoter. La chaleur, sans doute…

« Je vous demandais qui était enterré dans le cimetière, dehors… Des nazis ?

— Des nazis, oui… Mais aussi des innocents.

— Des innocents ?

— Des gens qui ont été injustement accusés de crimes qu'ils n'avaient pas commis. »

Sa voix a retrouvé son assurance, avec même une pointe de conviction.

« Il y en a beaucoup ?

— Je ne sais pas… Beaucoup, oui !

— Sait-on qui fleurit régulièrement l'une des tombes d'un bouquet de tulipes ?

— Ah non, on ne l'a jamais su !

— Mais d'après ce que l'on nous a dit, cela fait des années que cela dure…

— Je ne sais pas ! Je n'ai jamais cherché à savoir ! »

Elle nous confiera encore qu'elle n'est pas née à Landsberg, qu'elle y est arrivée alors qu'elle n'était qu'une enfant.

« Dans les années 1950 ? poursuit Axel de façon malicieuse.

— Plus ou moins, oui, répond-elle en baissant les yeux. Mais si vous voulez bien m'excuser, il faut que je termine mon service : la messe ne va pas tarder à commencer. »

Il ne nous reste plus qu'à nous retirer, en espérant ne pas avoir troublé le recueillement des fidèles qui remplissent à présent la moitié de l'église. Ce n'est qu'après avoir refermé le portail en bois derrière nous qu'Axel me souffle à l'oreille :

« Cela ne m'étonnerait pas que son père ou son grand-père soit enterré dans le cimetière... J'ai bien cru à un moment qu'elle allait nous faire un arrêt cardiaque ! »

Je n'ai pas le temps de réagir : un homme nous a suivis.

« Excusez-moi, messieurs... »

Il a prononcé sa phrase en français, avec un fort accent allemand. Le temps de nous retourner et il nous a rejoints sur l'herbe rendue glissante par la pluie.

« Vous êtes bien français, n'est-ce pas ? insiste-t-il en boutonnant sa parka en cuir marron.

— En effet, mais mon ami est allemand. Pourquoi cette question ? »

Instinctivement, je me suis mis sur la défensive. Il a pu écouter notre entretien avec la femme dans l'église. Nos questions ou notre curiosité lui ont peut-être déplu. Pourtant, l'homme ne manifeste aucune intention agressive. Il arbore déjà un grand sourire en nous tendant la main.

« Je vous ai entendus dans l'église parler la langue de Molière et je n'ai pas résisté. Permettez-moi de vous souhaiter la bienvenue à Landsberg am Lech ! Vous êtes en vacances ? »

J'aurais pu lui répondre par l'affirmative et nous aurions entamé une discussion sur les excursions à réaliser le long de la Route romantique. Mais je n'ai pas envie de mentir : nous sommes en 2012, plus de soixante ans après la guerre, et je n'ai rien à cacher.

« Pas exactement, non ! Nous préparons un livre sur le séjour de Hitler à la prison de Landsberg. Sur les conditions dans lesquelles il a écrit *Mein Kampf*.

— Vous avez de la chance ! Je suis sans doute l'un des meilleurs connaisseurs de cet... épisode de l'histoire allemande ! Je sais tout sur la "Bible du nazisme", comme on l'a appelée ! »

Devant nos mines effarées, il nous explique qu'il est professeur d'histoire, ou plutôt qu'il l'était, qu'il a consacré de nombreuses années à étudier ce qui s'est passé à la forteresse, qu'il a lu tout ce qui s'est écrit sur le sujet – « De bonnes et de très mauvaises choses » –, et qu'il serait ravi de pouvoir nous aider.

« Du reste, si vous n'avez rien à faire, je vous invite à boire une bonne bière dans une brasserie, juste à côté ! »

D'où sort-il ? Que veut-il ? Quelles sont ses intentions ? Pourquoi cette soudaine sollicitude ? Les questions se multiplient, mais un examen sommaire de la situation me rassure : après tout, nous sommes deux et il est seul. Un rapide coup d'œil entre Axel et moi, et nous décidons d'accepter.

Quelques minutes plus tard, nous sommes confortablement installés sur la banquette d'une cafétéria de centre commercial – la brasserie était fermée. L'homme, dont nous ignorons toujours le nom, est massif, le corps lourd. Ce qui frappe, ce sont les joues couperosées au-dessus desquelles se détachent des yeux d'un bleu profond. Les cheveux très courts sont gris, trahissant la soixantaine. Il est bien habillé, pantalon gris et veste sombre sur chemise blanche. Ses mains sont fines et manucurées.

« Allez-y ! Posez vos questions. Je me ferai un plaisir d'y répondre ! »

Il a la voix rauque d'un ancien fumeur et s'adresse à nous avec une extrême amabilité. Trop simple... Trop rapide...

« Attendez, monsieur...

— Je vous en prie, appelez-moi Günther.

— Bon, Günther, nous ne savons pas qui vous êtes, vous surgissez de l'église, et vous nous invitez à prendre un verre en nous déclarant que vous êtes un grand connaisseur de *Mein Kampf*... Nous avons le droit d'être un peu surpris...

— Vous avez raison, répond-il après quelques secondes de silence pendant lesquelles il a semblé nous jauger. Je vous rassure : je ne suis pas le chef d'un groupe néonazi et encore moins un sympathisant du IIIe Reich. Mes affinités politiques se situent plutôt à droite, je ne le cache pas, mais la violence me fait horreur. Disons que je connais bien *Mein Kampf* parce que je l'ai étudié. J'ai toujours voulu comprendre comment un homme, avec un livre, avait réussi à entraîner derrière lui tout un peuple, mon peuple...

— Et vous avez compris ?

— Pas complètement, je l'avoue ! Les phénomènes de masse me dépassent... Mais j'ai découvert que le livre comportait toutes les réponses aux questions que l'on se posait à l'époque. Des réponses parfois simplistes mais qui avaient le mérite d'exister devant l'incompétence de la classe politique de l'époque. Imaginez qu'aujourd'hui quelqu'un se lève en Allemagne ou en France et qu'il aborde de manière frontale toutes ces questions d'immigration, d'insécurité, de souveraineté nationale, qu'il parle de la patrie et de la fierté d'être allemand ou français, en utilisant le langage du peuple et pas la langue de bois de nos responsables politiques... Vous imaginez le succès qu'il aurait ?

— Vous semblez bien connaître la France. Vous avez sans doute entendu parler de la famille Le Pen et du Front national.

— Je vous envie ce parti et ses dirigeants ! Ils sont l'honneur de l'Europe ! » nous répond-il de façon un peu solennelle, les yeux brillants, en se redressant sur la banquette.

Enfin, il se dévoile. Je le pressentais depuis le début. Je n'ai qu'une hâte à présent : terminer mon café et rentrer à l'hôtel. Je n'ai pas fait le voyage en Bavière pour discuter politique et populisme dans une salle aseptisée et violemment colorée d'une cafétéria de banlieue. Axel n'est pas de cet avis : une « pure intuition », me confiera-t-il plus tard, le pousse à poursuivre la conversation.

« Donc, enchaîne Axel, vous êtes un spécialiste de l'histoire de *Mein Kampf*...

— En effet, répond Günther, visiblement ravi de nous faire partager ses connaissances. J'ai toujours été fasciné par les livres qui ont changé le destin de l'humanité ! Prenez Marx et *Le Capital*, le "Petit Livre rouge" de Mao… Ils ne sont pas légion, les ouvrages qui peuvent prétendre à ce niveau d'importance !

— Tous ces ouvrages ont un point commun : ils sont responsables de la mort de dizaines de millions d'individus ! »

Malgré mon désir de mettre un terme à cette analyse politico-littéraire, je ne peux m'empêcher de réagir.

« Je suis d'accord avec vous, consent notre interlocuteur. Mais je suis obligé de constater que les événements majeurs du XXe siècle ont tous été inspirés par un livre. Il faudrait toujours se méfier de la littérature !

— Les nazis l'ont fait, intervient Axel. Ils brûlaient tous les ouvrages qui tombaient entre leurs mains.

— C'est une autre histoire, répond notre homme en esquissant une grimace. Ce que je veux dire, c'est que le destin de l'Allemagne a basculé parce qu'un homme, un jour, à quelques centaines de mètres de l'endroit où nous nous trouvons, a couché par écrit des idées simples, accessibles à tous. Et encore, quand je dis que Hitler a écrit *Mein Kampf*, je ne dis pas la vérité…

— Que voulez-vous dire ?

— Le Führer était un immense orateur mais un piètre écrivain. Tout le monde le sait ! La première version de *Mein Kampf* est truffée de maladresses, d'imprécisions, d'idées non abouties, de fautes de syntaxe. Lorsqu'il quitte la forteresse de Landsberg, en décembre 1924, le manuscrit dans ses bagages, il ne sait pas qu'un long travail de réécriture va commencer. Ils sont une bonne demi-douzaine à retrousser leurs manches et à s'atteler à une tâche dont ils ne soupçonnent pas la future répercussion. Il y a d'abord l'ami fidèle, le compagnon de toutes les luttes : Rudolf Hess. Nous trouvons aussi Ernst Hanfstaengl,

202

un universitaire à moitié américain, diplômé de Harvard. Il y a aussi Emile Maurice, qui deviendra le chauffeur de Hitler. Sans compter deux personnages moins connus : un critique musical, Joseph Stolzing-Cerny, et un prêtre, Bernhard Stempfle, qui vont assurer l'essentiel du travail de mise en forme. Pendant plusieurs semaines, ces hommes vont travailler d'arrache-pied : ils ne changent rien sur le fond, ne touchent pas aux idées, mais ils donnent au texte une force que celui-ci n'aurait jamais eue sans leur intervention. »

Il s'arrête un instant, manifestement satisfait de l'effet produit par ses connaissances. Il nous avait bien dit qu'il savait tout sur ce livre maudit !

« Enfin, reprend-il, il existe un dernier homme sans qui le livre serait resté au fond d'un tiroir

— Son éditeur...

— Exactement ! Il a été le sergent de Hitler pendant la Première Guerre mondiale. Il l'a suivi dans toutes les péripéties de sa vie. Il a alors 35 ans et dirige la maison Eher-Verlag, qui publie quelques bulletins confidentiels ainsi que le journal du Parti, le *Völkischer Beobachter*. Son intervention sur le livre va être déterminante. »

À présent, il prend son temps, ménage ses effets. Il sait qu'il a réussi à captiver notre attention. Je n'ai plus du tout envie de rentrer à l'hôtel.

« Hitler avait choisi un titre un peu *has been*, comme nous dirions aujourd'hui, poursuit-il en souriant. *Quatre années et demie de combat contre les mensonges, la sottise et la lâcheté.* Tel était le titre prévu par le Führer. Cela faisait des semaines que ses amis essayaient de le faire changer d'avis : pas assez percutant, pas assez vendeur ! C'est finalement le directeur de la maison d'édition qui réussira à le convaincre avec un titre concis, violent comme un coup de poing : *Mein Kampf*, "mon combat"...

— Et quel était le nom de ce directeur spécialiste en marketing ?

— Son nom est assez courant en Allemagne... Il s'appelait Max Amann. »

Un secret bien gardé

L e succès a parfois un goût étrange. À l'instant où le nom
« Amann » est prononcé par notre interlocuteur, une
immense fierté m'envahit : j'ai vu juste, il fallait partir
enquêter à Landsberg. C'est la force et parfois la magie de
l'enquête sur le terrain : l'esprit d'ouverture que l'on manifeste alors nous conduit toujours vers des découvertes et
des surprises que toutes les recherches en bibliothèque ne
sauraient remplacer. C'est ici qu'intervient, dans un gigantesque clin d'œil, le hasard. Lorsque l'on me demande quels
sont les ingrédients nécessaires pour faire un bon journaliste, je réponds en général : « Du travail, encore du travail,
de l'acharnement... et un peu de chance. » Notre mission
en Bavière illustre parfaitement cette boutade – qui n'en est
pas forcément une.

De la fierté, donc, mais pas seulement.

Au moment où le nom « Amann » surgit dans cette cafétéria,
je sens immédiatement un nœud d'angoisse se former au plus
profond de moi. Il ne cesse de grandir depuis. J'ai poussé, à ses
plus extrêmes limites, la logique dans cette histoire irration-
nelle ; j'ai mis ma réflexion et mon intelligence au service d'un
texte improbable ; j'ai passé au crible de la raison des lettres
vieilles de 2 300 ans... Le résultat m'emplit d'effroi.

Qu'est-ce que j'espérais ? Me cogner la tête contre un mur d'interprétations kabbalistiques ? Ne rien trouver ? Faire la démonstration que tout cela n'était qu'un conte des Mille et Une Nuits que des esprits tortueux avaient rafraîchi à la mode nazie ? Tout cela a-t-il un sens ? Quel a été mon moteur ? La volonté de démentir ? Celle d'affirmer et de prouver ? Ni l'un ni l'autre. La curiosité, oui, l'excitation, que j'ai toujours ressentie au long de ma carrière, à aborder une *terra incognita*. Et aussi, je l'admets en toute immodestie, le désir de m'approcher de la vérité, de détenir un certain savoir. Enfin, plus confusément, le sentiment que ma mère m'avait adressé un message et que je devais à sa mémoire de relever le défi que me lançait Yohan. Et voilà que je me retrouve ce soir devant un abîme d'interrogations au fond duquel le nom de l'éditeur de *Mein Kampf* a rejoint celui du Premier ministre d'Assuérus.

Sitôt rentré à l'hôtel, partagé entre l'euphorie et une sourde inquiétude, j'appelle Yohan au téléphone.

« Nous avions vu juste !

— Explique...

— J'ai retrouvé la trace d'Aman. »

Et je lui déverse en un flot ininterrompu Elke et les archives de la ville, Anton et le camp de concentration, Landsberg et sa prison, le cimetière de St. Ulrich et le bouquet de tulipes, la servante du curé et son malaise respiratoire, le fameux Günther et « Amann ».

« Je n'arrive pas à le croire, finit par dire Yohan après quelques secondes de silence. Et tu as obtenu tout cela *en une journée* ? »

Au moment où il m'adresse cette réflexion, une immense fatigue s'empare de moi. Je prends conscience de cet enchaînement infernal qui nous a conduits, en quelques heures, de l'accueil glacial de l'historienne à la révélation inattendue de l'homme qui nous a abordés. C'est un film qui s'est déroulé à grande vitesse alors que je relatais les événements à mon ami, le récit d'une course infernale aux allures de parcours du combattant où l'arrivée se dérobe à chaque fois que l'on pense l'approcher. Je bredouille quelques mots agrémentés d'une légère pointe de culpabilité, injustifiée, comme si je devais m'excuser d'être allé trop vite. Mais quelque chose dans son attitude me trouble.

« Tu sembles déçu, lui dis-je.

— Non, répond précipitamment Yohan. Tu me vois soulagé. Je peux maintenant te l'avouer : je savais pour Amann, mais, ainsi que je te l'avais dit lors de notre première rencontre à la synagogue, je n'étais sûr de rien tant que tu n'avais pas mené l'enquête par toi-même. »

Une nouvelle pause et, dans un souffle :

« Je t'en prie, ne le prends pas mal.

— Tu veux dire que tout ce que j'ai fait…

— … nous apporte la preuve que cette histoire tient debout. J'en suis moi-même convaincu depuis longtemps, mais il me fallait vaincre ton scepticisme. Depuis que tu as accepté de m'aider, j'ai été en quelque sorte ta tour de contrôle. Et en l'occurrence j'ai plus confiance en ton enquête qu'en la mienne.

— Et maintenant, que fait-on ? »

Je me sens partagé entre la colère et la fierté d'avoir résolu en vingt-quatre heures une énigme qui lui a coûté des mois, voire des années de recherches.

« Maintenant ? Vous allez vous reposer. Vous avez été remarquables, Axel et toi. Je prends le relais à Paris derrière mon ordinateur et je vous envoie par e-mail mes dernières cartouches. Cela te va ? »

Je comprends mieux à présent son sourire lorsque j'avais évoqué la possibilité de commencer l'enquête sur Aman à Landsberg. Il savait mais ne m'avait rien dit. À mon tour de sourire : grâce à lui, grâce à son silence, je viens de vivre l'une des journées les plus denses de toute mon existence.

Lorsque, une heure plus tard, après une douche chaude qui aura réussi à emporter une partie de ma fatigue physique, nous nous retrouvons avec Axel autour d'un chardonnay bien frais, je ne peux m'empêcher de frissonner en pensant à la petite main qui vient fleurir régulièrement la tombe d'Oswald Pohl. Ce que je ne sais pas encore, c'est que mes nuits seront désormais peuplées de membres déchiquetés et de fusées de céramique qui m'arracheront des cris de terreur...

Ma montre indique 4 heures du matin lorsque je me réveille en sursaut. Un cri, le mien je crois, m'a tiré du sommeil. Je suis en sueur, le souffle court, la poitrine oppressée. Yohan m'avait averti : c'est le lot commun de tous ceux qui visitent pour la première fois un camp de concentration. Il faut des jours et surtout des nuits pour se débarrasser de ce traumatisme, ou plutôt pour accepter de vivre avec. Vite, allumer ma lampe de chevet et chasser les fantômes de Landsberg, reprendre mon bon vieux Proust, compagnon fidèle de voyage, et m'évader dans la campagne du côté de Guermantes. Peine perdue : au bout d'un quart d'heure, j'en suis à relire pour la dixième fois la première phrase du texte – ni Mme Verdurin ni Odette ne parviennent à m'extraire de mes cauchemars bavarois. Une douche, une bonne douche pour me remettre les idées en place et sortir de cet état d'engourdissement qui ne me lâche pas ! C'est en me rendant à la salle de bains que je remarque de la lumière dans la chambre d'Axel, filtrant par la porte communicante.

« Tu ne dors pas ?

— Non, je viens de faire un horrible cauchemar... Toi non plus tu ne dors pas ? »

Quelques minutes plus tard, nos insomnies parallèles vont se diluer dans l'eau brûlante d'un providentiel café instantané que l'hôtel met à la disposition de ses clients. Nous parlons à voix basse et commentons la situation en étouffant des fous rires d'adolescents, rassurés d'avoir trouvé chez l'autre un écho à ses propres angoisses. Très vite pourtant, je n'y tiens plus et rallume l'ordinateur. Une dizaine d'e-mails m'attendent, certains répétitifs mais tous chargés d'informations. Yohan a bien travaillé !

Le premier document, capital pour nous, confirme les propos de Günther à la cafétéria : Max Amann a bien existé. J'étais à mille lieues d'imaginer que l'homme que je recherchais dans l'entourage de Hitler porterait le même nom que le Premier ministre d'Assuérus. Je cherchais du côté de Himmler ou d'Eichmann, de Goebbels ou de Göring, essayant d'établir des parallèles, ces fameuses « correspondances »... Voici en tout cas la biographie de Max Amann telle que nous la découvrons, sèche comme un rapport de police :

Il est né à Munich le 24 novembre 1891. Il est sergent dans l'armée allemande lorsque éclate la Première Guerre mondiale. Sous ses ordres, un caporal nommé Adolf Hitler. Une véritable amitié se noue entre les deux hommes, le second impressionnant le premier par sa verve et ses idées révolutionnaires. Dès 1921, Amann prend sa carte au NSDAP, le Parti national-socialiste, fondé un an plus tôt. L'année suivante, il est nommé directeur de la maison d'édition Eher-Verlag, qui publie le journal du parti puis celui de la SS. En novembre 1923, on le retrouve tout naturellement parmi les conjurés du putsch de la Brasserie aux côtés de son leader, avec qui il est arrêté et emprisonné à la forteresse de Landsberg. Il participe, avec d'autres fidèles, à la réécriture du livre d'Adolf Hitler et persuade celui-ci d'en changer le titre. Il le publie le 18 juillet 1925 : Mein Kampf *est né. En 1933, il devient président de l'Office du Reich pour les médias, dépendant des services de Joseph Goebbels. Il impose la censure, décide de la fermeture de publications* *hostiles au régime nazi et réalise d'énormes profits personnels. Pendant toute la durée de la guerre, il fait partie du premier cercle autour du Führer et prend part aux décisions importantes du IIIe Reich. Arrêté à la fin de la guerre par les troupes alliées, le* SS-Obergruppenführer *Max Amann est condamné le 8 septembre 1948 par le tribunal de Nuremberg à dix ans de travaux forcés. Libéré au bout de sept ans, mais privé de ses biens et de ses droits à la pension, il meurt dans la misère à Munich le 30 mars 1957.*

Une photo accompagne le texte. On y voit un officier allemand en tenue d'apparat, les yeux durs et les lèvres minces, fixer l'objectif. Eu égard aux soixante-dix ans qui me séparent de ce cliché et à la disparition de son sujet, je m'interdis de porter le moindre jugement sur ce portrait.

Suit une série d'articles où l'on retrouve le nom d'Amann associé aux péripéties de la presse allemande pendant la guerre et cette phrase d'Antoine Vitkine, auteur d'un document remarquable sur la « Bible nazie » : « On ne peut s'abstenir de penser que sans son intervention [le choix du titre], le livre aurait peut-être connu un destin sensiblement différent[6]. »

« Bingo ! annonce fièrement Axel. En plein dans le mille !

— Günther ne nous a pas menti. Il connaît vraiment cette histoire et tous ceux qui y ont participé.

— On aurait dû lui poser des questions. Je suis sûr qu'il nous aurait donné encore plus de détails sur Amann...

— Il a fait mieux : il nous a donné ce que nous étions venus chercher. »

---

6. Antoine Vitkine, Mein Kampf, *histoire d'un livre* (Flammarion).

Les e-mails défilent dans la lumière bleutée de l'ordinateur lorsque, tout à coup, nous parvient la « dernière cartouche » de Yohan. Une petite bombe : une coupure de presse du *Jewish Chronicle* de Londres, une capture d'écran du site Internet de CNN et un article de *The Independent*, l'un des journaux les plus sérieux de la capitale britannique. Ils racontent tous les trois la même histoire.

À savoir : des comptes bancaires, destinés à recevoir les droits d'auteur de *Mein Kampf*, ont été découverts par des équipes qui travaillent sur l'argent juif et nazi en déshérence depuis la Seconde Guerre mondiale.

Des documents des Archives nationales américaines, récemment déclassifiés, indiquent que l'un des plus fidèles compagnons de Hitler possédait des comptes auprès de l'Union des banques suisses (UBS) à Berne.

L'information, provenant d'un rapport secret d'une branche de la CIA, a été révélée par des chercheurs du Congrès juif mondial à Washington. Un télégramme de Berne, peut-on lire dans ce rapport, indique que ces comptes ont été ouverts par Hitler au nom de Max Amann. Ce dernier, est-il précisé, était un compagnon de la première heure et patron de la maison d'édition du Parti national-socialiste qui a publié *Mein Kampf*.

Le rapport indique en outre qu'il est très possible que les droits d'auteur du livre ainsi que certaines sommes d'argent confisquées par les nazis à l'étranger se trouvent toujours dans les coffres de la banque helvétique sur un compte au nom d'Amann.

Un porte-parole de l'UBS a déclaré qu'il était illégal pour la banque de parler en public de comptes individuels. Dans ces conditions, il ne pouvait confirmer ou démentir cette information, même si les comptes avaient été fermés.

Je n'en croyais pas mes yeux : ainsi donc, Hitler avait ouvert plusieurs comptes secrets au nom d'Amann pour y déposer les droits d'auteur de *Mein Kampf*. Lorsque l'on songe que le livre s'est vendu à 10 millions d'exemplaires jusqu'en 1945, on imagine les sommes colossales qui pourraient se trouver sur ces comptes.

« Je pense, mon cher Axel, que nous allons faire un crochet par la Suisse avant de regagner Paris.

— Alors, je propose qu'auparavant, me répond-il en étouffant un bâillement, nous nous précipitions au restaurant pour avaler un bon petit déjeuner ! »

Quelques minutes plus tard, nous sommes les premiers clients à pénétrer dans la salle à manger de l'hôtel. Par les grandes baies vitrées se déverse une lumière liquide provenant de la rue. Le jour se lève et la pluie a cessé. La serveuse prend notre commande en souriant, le visage frais, s'étonnant de nous trouver si matinaux. De toute évidence, elle a passé une bonne nuit et semble vouloir nous faire profiter de son humeur radieuse. Elle s'enquiert des raisons de notre présence dans la région, et nous lui expliquons que nous écrivons un livre sur le séjour de Hitler à la prison.

« Hitler... dit-elle en secouant la tête. Si on l'avait fusillé pendant qu'on le tenait ici, rien de ce qui s'est passé par la suite ne serait survenu ! »

C'est la première parole sensée que nous entendons depuis que nous sommes arrivés à Landsberg.

Quarante-huit heures plus tard, nous voici à nouveau sur la route. Le temps est dégagé et, sauf incident de parcours, nous arriverons à Zurich dans moins de deux heures. Nous avons rendez-vous dans l'après-midi dans une grande banque suisse dont je n'ai pas le droit de révéler le nom, avec deux personnes qui doivent rester anonymes. La condition n'est pas négociable, et je l'ai acceptée : c'est ma seule possibilité de faire avancer l'enquête, même si mon espoir d'en savoir davantage est très ténu.

Nos deux derniers jours à Landsberg se sont déroulés sereinement, partagés entre la préparation du voyage à Zurich et de longues promenades dans la vieille ville. À plusieurs reprises, la curiosité nous a ramenés vers le « cimetière des pendus » – nous avons même caressé l'idée, un moment, d'y passer la nuit, tapis dans notre voiture, afin de surprendre la personne qui fleurit la tombe d'Oswald Pohl... Mais à quoi cela nous aurait-il servi ? À mettre un visage sur un ou une nostalgique du IIIe Reich ? Il faut savoir parfois laisser retomber le silence sur la solitude de l'infamie.

C'est sans doute un effet placebo, mais depuis que nous avons franchi la frontière suisse les autoroutes nous paraissent plus belles, l'air plus frais et la campagne environnante plus riche. Le soleil est de retour, signe que nous avons définitivement laissé derrière nous les nuages menaçants de Landsberg.

Entre deux indications routières, Axel est plongé dans la documentation sur *Mein Kampf* que nous avons réussi à constituer. Et il n'est pas anodin de noter que notre enquête, partie d'un texte ancien, va s'achever sur l'un des documents les plus terrifiants du siècle dernier : si l'on doutait encore de la puissance de l'écrit...

À sa parution, et dans les quelques années qui suivent, *Mein Kampf* connaît un succès très modeste : en 1929, à peine 23 000 exemplaires du premier tome se sont écoulés, et seulement 13 000 du second tome (que Hitler a rédigé dans la foulée et qu'il va bientôt réunir au premier, constituant un seul volume de plus de 700 pages). À partir de 1930, le livre fait un bond spectaculaire, preuve que les idées exprimées intéressent de plus en plus d'Allemands, et les ventes atteignent le chiffre record de 1,5 million d'exemplaires. En 1936, alors que Hitler est au pouvoir, il décide d'en faire le cadeau personnel de l'État à tous les couples qui se marient. Parallèlement, une ordonnance du ministère de l'Éducation encourage fortement les enseignants à l'étudier avec leurs élèves. Les Jeunesses hitlériennes apprennent par cœur certains passages du livre. Une véritable frénésie s'empare alors du pays : le livre est édité en plusieurs formats, dont une version de luxe réservée aux dignitaires nazis. Le régime n'oublie pas les non-voyants : un texte en braille est publié, que l'on peut consulter aujourd'hui à la bibliothèque de Munich. *Mein Kampf* envahit l'Europe : le livre est traduit en seize langues, passant les frontières aussi facilement que le fera l'armée allemande quelques années plus tard. Ian Kershaw, le meilleur biographe de Hitler, calcule qu'en 1945 plus de 12 millions d'exemplaires auront ainsi été vendus.

L'un des épisodes les plus tragiques dans lesquels s'illustre *Mein Kampf* a lieu le 10 novembre 1938, durant la « Nuit de cristal ». Les nazis ont décidé d'organiser un pogrom parmi la communauté juive de Baden-Baden, au sud-ouest du pays. Ils rassemblent les fidèles juifs dans la principale synagogue de la ville et obligent un notable, le Dr Flehinger, à lire des extraits de *Mein Kampf* du haut de la *teba*, l'estrade où se tient le rabbin pour célébrer les offices et commenter les textes sacrés. Puis ils font évacuer le bâtiment et y mettent le feu. La majorité des fidèles sera déportée vers les camps de Dachau et de Buchenwald[7].

Et puis il y a l'argent de *Mein Kampf*. Selon différentes sources, Hitler aurait payé son « nid d'aigle » de Berchtesgaden grâce aux royalties de la « Bible nazie ». Il faut dire que ses revenus littéraires sont si élevés qu'ils lui permettent de prendre une mesure spectaculaire dès son arrivée au pouvoir en 1933 : il décide solennellement

---

7. Rapporté par Antoine Vitkine (*op. cit.*).

de renoncer à sa solde de chancelier. La symbolique du geste enflamme le pays : cet homme n'est décidément pas comme les autres, il n'est pas au pouvoir par intérêt mais pour la grandeur de l'Allemagne, loin de l'affairisme et de la corruption de ses prédécesseurs. Jusqu'à la fin de la guerre, le Führer continue d'engranger les droits d'auteur de son livre, qui aura été, en même temps qu'une véritable mine d'or, l'instrument le plus efficace pour asseoir son pouvoir.

« "Depuis 1945, lit Axel à voix haute, c'est le Land de Bavière qui détient les droits internationaux du livre. Il autorise ou interdit la publication de l'œuvre à travers le monde. Et lorsque,

215

exceptionnellement, il en donne l'autorisation, il s'agit toujours d'éditions partielles, assorties en général d'un avertissement ou de commentaires critiques, mettant en garde le public sur le caractère néfaste de l'œuvre de Hitler."

— En effet, et c'est ainsi qu'on estime aujourd'hui à 80 millions le nombre d'exemplaires de *Mein Kampf* vendus à travers le monde...

— Cela doit faire une sacrée somme d'argent ! rêve Axel à voix haute. Bonne opération pour la Bavière !

— Oui, mais elle n'en a plus pour très longtemps : le 1er janvier 2016, *Mein Kampf* tombe dans le domaine public.

— Ce qui signifie que le livre sera libre de tout droit et de toute autorisation préalable ! Tu imagines les dégâts qu'il peut encore engendrer ! »

Le monde n'en a pas fini avec ce livre maudit... Quelle revanche pour le petit caporal ! Soixante-dix ans après son suicide dans son bunker de Berlin, et grâce à son œuvre maîtresse, Hitler va peut-être retrouver une seconde jeunesse, de nouveaux adeptes, malgré les dizaines de millions de morts qu'il aura provoqués.

La circulation s'est densifiée. Nous abordons déjà les faubourgs de Zurich. Dans quelques minutes, nous serons dans le centre-ville. Un silence pesant règne dans la voiture.

Le soleil éclabousse la Bahnhofstrasse, les Champs-Élysées zurichois. Il est midi lorsque nous empruntons l'artère piétonne à 70 000 euros le mètre carré qui relie la gare, bâtisse monumentale, au lac, étincelant à quelques centaines de mètres. La rue grouille de vie et transpire l'argent : touristes et Zurichois aisés qui flânent devant les boutiques de luxe ; hommes en costume sombre et cravate colorée qui marchent vite, des documents plein les mains qu'ils agitent en parlant fort ; dames d'un certain âge, un peu trop maquillées mais très chics, qui se pressent au salon de thé Sprüngli… Et puis les banques : il y en a partout, pour tous les goûts, à chaque coin de rue, rivalisant entre elles pour gagner le concours de la façade la plus austère. Le gris est la couleur dominante, celle qui rassure, gage subliminal de confiance envers des établissements qui représentent l'essentiel des ressources de ce pays.

Depuis que nous avons pris la décision de venir à Zurich, une blague de Gaspard Proust (aucun lien avec Marcel !), digne héritier de Pierre Desproges par son humour noir et froid, ne me lâche pas : « Les nazis ont commis beaucoup d'erreurs, par exemple lorsqu'ils ont envahi la Pologne au lieu de la Suisse… C'est comme habiter en face de la Banque centrale et aller braquer le kebab du coin. »

À la réflexion, ils ont fait mieux. Ils ont utilisé le pays comme un gigantesque coffre-fort, mettant à l'abri l'argent raflé aux Juifs à travers l'Europe : bijoux, lingots d'or, toiles de maître. Les banquiers suisses ont alors appliqué leur principe historique de stricte neutralité, jouant sur les deux tableaux : d'un côté, l'or nazi, de l'autre, celui des Juifs, que des milliers d'entre eux avaient déposé dans leurs coffres, espérant le récupérer un jour, après la furie des années de guerre. La plupart ont disparu dans les flammes de l'Holocauste, laissant de véritables fortunes en déshérence dans les banques de la Confédération. Une authentique aubaine pour les Suisses, qui ont fait fructifier pendant des années des millions de dollars, se retranchant derrière le secret bancaire en cas de réclamation :

« Nous ne remettrons cet argent qu'au titulaire du compte.

— Mais il est mort en camp de concentration !

— Avez-vous un certificat de décès ?

— Parce que vous pensez que les SS en délivraient lorsqu'ils les ont brûlés dans les fours crématoires ?

— Désolé, je ne peux rien faire pour vous ! »

Il faudra plus de cinquante ans de procédure et tout le poids politique et économique des États-Unis pour que la Suisse accepte d'ouvrir ses livres de comptes. C'est un peu la raison de notre présence dans cette ville, mais, il faut l'avouer, nos chances de réussite sont beaucoup plus minces que celles de Washington.

L'intérieur d'une banque suisse est à l'image de sa façade extérieure : gris. Mais avec des nuances : gris souris pour le tissu mural, gris pigeon pour les portes des bureaux, gris béton pour la corolle d'escaliers qui nous conduit au premier étage.

L'organisateur de la rencontre nous attend en bras de chemise, mais avec une cravate, dans le plus pur style *senior manager*. Il ne soufflera mot tout au long de l'entretien, se contentant de grimacer ou d'approuver d'un mouvement de tête les propos de sa collaboratrice. Car c'est elle qui sait. La quarantaine, les cheveux bruns assez courts, chemisier blanc sur jupe longue sombre, elle se fond parfaitement dans le décor austère de la banque. S'exprimant dans un anglais parfait, c'est une femme qui a l'habitude de prendre la parole en public et de faire partager ses convictions. Son discours est parfaitement rodé.

« La première chose à savoir est que tous les comptes nazis ont été bloqués en 1945. Pas moins de quatre commissions internationales, dont la commission suisse Bergier, ont enquêté sur ces avoirs en déshérence, les avoirs juifs et nazis. Nous leur avons ouvert toutes les portes, les armoires, les tiroirs, les coffres et les ordinateurs... Vingt-cinq rapports, très épais, ont été écrits. Personne n'a rien trouvé d'autre que ce que nous avions déclaré. Attendez... Je fais erreur... »

Elle semble rechercher dans sa mémoire un nom ou un dossier. La main au front, elle fait des efforts insensés de régénération de neurones afin de satisfaire notre curiosité. Je me tourne vers Alex : un clin d'œil complice me fait comprendre que lui aussi pense qu'elle en fait un peu trop.

« Nous avons retrouvé quelques comptes, pas de très grande importance. Un nom en particulier me vient à l'esprit : celui d'un général de la Waffen-SS, Hans Kammler.

— Hans Friedrich Karl Franz Kammler », annonce fièrement Axel.

À peine le nom prononcé, il l'a tapé sur son iPad et nous livre le résultat de sa recherche :

« Ingénieur civil né en 1901, il se retrouve *Obergruppenführer* à la fin de la guerre. Responsable du programme des missiles V2... Les circonstances de sa mort restent mystérieuses et contradictoires... Plusieurs chasseurs de nazis restent persuadés qu'il n'est pas mort à la fin de la guerre, comme un certain nombre de ses camarades ont voulu le faire croire. »

L'intervention intempestive d'Axel et de sa technologie portative a un peu déstabilisé nos hôtes. J'en profite pour émettre un commentaire ambigu, de quoi inverser le rapport de force :

« Un nazi dont la mort n'a jamais pu être prouvée... Intéressant ! »

Notre interlocutrice jette un regard effrayé vers son collègue. Celui-ci, d'un mouvement du menton, lui fait signe de continuer.

« En revanche, reprend-elle, concernant les avoirs juifs, je suis fière d'y avoir travaillé pendant quatorze ans. Avec toute une équipe de collaborateurs, nous n'avons pas ménagé notre peine, et, en 1998, un accord a été finalement conclu avec un ensemble d'organisations juives : les banques suisses se sont engagées à verser 1,25 milliard de dollars sur un compte bloqué à New York. Je ne me souviens pas du nom de cette juridiction, mais c'est elle qui était chargée de reverser l'argent entre particuliers spoliés et fondations d'entraide.

— Donc, dis-je, aucun problème de ce côté...

— Je dois toutefois reconnaître qu'aujourd'hui encore une chose m'attriste : beaucoup de victimes ou d'enfants de victimes pensaient que l'on devait payer pour ce qu'ils avaient souffert, que c'était à la banque qu'il incombait de payer ! J'avoue que ces situations me mettaient extrêmement mal à l'aise. »

Elle paraît sincère. Pour un peu, elle aurait presque réussi à nous émouvoir à l'évocation de ces survivants meurtris, en colère contre l'institution bancaire. Je reprends la main :

« Mais revenons aux comptes nazis. J'ai ici, sous les yeux, un article d'un journal britannique faisant état d'un compte ouvert par Adolf Hitler au nom de Max Amann pour recevoir les droits d'auteur de *Mein Kampf*... »

Et soudain, alors que rien ne le laissait prévoir, elle éclate de rire. Son hilarité ne dure que quelques secondes mais plonge tous les occupants de la pièce dans un grand trouble. Déjà, elle se reprend et assume sa défaillance :

« C'est un mythe, répond-elle, un vrai mythe !

— Qu'est-ce qui vous fait rire ? J'ai dit quelque chose de drôle ?

— Mais c'est parce que... cette question revient périodiquement. Elle refait surface sans arrêt depuis des années. Notre réponse est simple et elle n'a jamais varié : il n'existe pas de comptes "Mickey Mouse" chez nous !

— Comptes "Mickey Mouse" ? C'est un nom de code ?

— Des comptes prête-noms. Nous n'en avons jamais ouvert. Tous ceux qui se sont succédé dans ces locaux le savent. Il n'y a jamais eu de compte ouvert par Adolf Hitler au nom de Max Amann dans cette banque ou dans une autre. Je vous le certifie. »

Nous n'en saurons pas davantage. Nous nous retrouvons sur la Bahnhofstrasse un peu déçus, même si le jeu était inégal : nous n'avions aucun moyen de vérifier si ce qu'elle disait était vrai ou non. Seul son rire a semblé la trahir. Nervosité ? Agacement, comme elle l'a justifié ? Le compte « Mickey Mouse » gardera son secret...

Les terrasses se vident le long de la Limmat. Le soleil a disparu et la fraîcheur est revenue. Les trams traversent silencieusement la ville. En regagnant l'endroit où nous avons garé la voiture, nous passons devant une librairie. Certes, *Mein Kampf* n'est pas en vitrine, mais la Suisse n'en reste pas moins l'un des rares pays d'Europe où l'ouvrage maudit est toujours en vente libre.

V

Ce que savaient les nazis

Faut-il croire au hasard ? Arrivé à ce stade de l'enquête, la question a totalement envahi mon esprit au point de devenir une obsession. Comment expliquer cet enchaînement implacable de faits et de correspondances dans deux histoires qui ne possèdent rigoureusement rien en commun ? Plus de six mois se sont écoulés depuis mon voyage, la fleur au fusil, à Nuremberg. Ce que je savais de cette histoire avait piqué ma curiosité et m'offrait un défi quatre étoiles que je ne pouvais pas ne pas relever. Et puis il y avait eu cette séance étourdissante de chiffres et de lettres délivrée par le Professeur à Jérusalem, qui nous avait conduits à cette date fatidique de 1946. Ébranlé mais stoïque, parvenant à contenir les débordements au parfum de soufre de la prophétie, j'avais serré les dents et poursuivi ma recherche de la vérité. Le parallèle entre les dix pendus de Nuremberg et les dix enfants d'Aman avaient, je dois le reconnaître, entamé sérieusement mes certitudes rationnelles. C'est à ce moment-là, submergé de détails troublants comme cette correspondance entre la date de l'exécution et le jour de Hoshanna Rabba, que j'ai commencé à perdre pied. Mais le pire était à venir : l'irruption violente, à la sortie du « cimetière des pendus » de Landsberg, du nom d'Amann, ami de Hitler et éditeur de *Mein Kampf.* Je l'ai reçu comme un véritable coup de poing emplafonnant mes dernières résistances. Comme un paquet d'eau de mer lorsque l'on s'approche trop près de la digue un jour de tempête. Pas d'interprétation ou de savants calculs, juste une évidence, un nom lisse qui menaçait de m'emporter.

Pour l'heure, je ne veux pas reprendre mes conversations métaphysiques avec Yohan sur l'origine divine de ces parallèles qui, comme l'enseigne la géométrie, finiront par se rejoindre à l'infini. J'essaie simplement de comprendre l'incompréhensible en remplaçant la main de Dieu par une logique qui s'effacerait parfois devant l'impondérable.

Axel est resté à Zurich, espérant glaner d'autres informations sur le fameux compte bancaire. J'ai préféré, quant à moi, regagner Paris par le train, le meilleur moyen de m'octroyer quelques heures de pause afin de réfléchir en toute quiétude. Le balancement régulier du compartiment à moitié vide est propice à la rêverie, engourdissant peu à peu mes sens, me ramenant sans cesse à une image : celle de Julius Streicher, devant la potence, hurlant « Pourim 1946 » avant de tendre le cou à son bourreau. Il faut imaginer cet homme, pleurant et geignant, implorant la grâce et la pitié, espérant un retournement de situation improbable qui lui laisserait la vie sauve. Il faut le voir, soutenu par deux GI qui l'aident à gravir les treize marches de la potence, faisant face à une douzaine d'officiels et de journalistes qu'il ne voit pas mais qu'il devine, se redressant soudainement devant la corde, comme si, dans un ultime sursaut, il désirait recouvrer une partie de sa dignité. Le temps qu'il lui reste à vivre se compte alors en secondes – il n'a aucun doute là-dessus. Il pourrait alors, comme ses prédécesseurs, proclamer qu'il meurt pour l'Allemagne, pour son Führer, qu'il regrette ou, au contraire, qu'il n'éprouve aucun remords, que ses dernières pensées vont à ses enfants. Non. À ce moment précis d'une vie qui se termine, il pense à une fête juive, à la reine Esther et à son oncle Mardochée, au complot ourdi par Aman – et il n'est pas concevable une seconde qu'il n'ait pas fait le rapprochement avec l'ami de Hitler –, il pense à une histoire vieille de 2 300 ans comme s'il était évident que la Mésopotamie pouvait se superposer à cet instant au sinistre hangar de la prison de Nuremberg, plongé dans l'obscurité, où il va mourir.

Hasard ? Coïncidence ? Ultime pied de nez d'un homme, « dégoûtant » selon tous ceux qui l'ont approché, qui, quelques secondes auparavant, n'avait même pas la force et le courage de marcher ? Existe-t-il un sens à ce cri, à cette tragédie ? Cette histoire est invraisemblable. Je m'échine à retourner le problème dans tous les sens, je ne parviens pas à trouver la moindre réponse à ces questions. La scène de l'exécution est surréaliste et je suis tout seul, dans ce train, à essayer d'en trouver l'explication, plus de soixante ans après.

Un café, oui, un café au wagon-bar m'aidera à y voir plus clair. C'est à l'instant où je quitte mon compartiment que l'idée me traverse l'esprit. Une idée monstrueuse que j'ai du mal à formuler mais qui s'impose à moi avec un entêtement et un naturel désarmants : Streicher savait-il ? Connaissait-il le mystère qui a toujours entouré le Livre d'Esther ? Avait-il réussi à percer le code ?

Le simple fait de formuler ces questions me fait l'effet d'un choc électrique. Voilà que je commence à transpirer, mesurant l'énormité de mon interrogation. Il me faut convoquer de toute urgence mes armes traditionnelles, les faits, la logique, la force de l'analyse, et me garder de toute interprétation.

J'ai abandonné l'idée d'un café. Voilà un moment que le train a laissé derrière lui les verts pâturages de la Suisse avec les Alpes en toile de fond, véritables paysages de carte postale. Nous ne sommes pas loin de Dijon, la nuit tombe à présent et je crois deviner à travers la vitre les vignobles du Beaujolais qui défilent à toute vitesse. Je répète, comme une litanie, des injonctions qui me sont destinées : revenir aux fondamentaux et refuser le glissement vers le mystique, confronter les faits au réel et repousser la tentation du religieux. Pour livrer ce combat, je ne dispose que d'une feuille de papier que je place devant moi, et d'un crayon prêt à former des mots, petites pièces d'un puzzle gigantesque que je dois reconstituer à l'aveugle.

D'abord les faits : on sait qu'entre 1933 et 1939, date de sa déchéance, Streicher a amassé une fortune considérable en confisquant des biens appartenant aux Juifs de Bavière. Des biens et des documents – les historiens sont unanimes sur ce point – directement issus de la tradition juive, comme des livres de prière, de vieilles *Meguila* et sans doute aussi, sans que l'on en ait la certitude, des rouleaux de la Torah. Au déclenchement de la guerre, il se vantait de posséder la plus grande bibliothèque juive du pays. Du reste, ses interrogatoires du procès de Nuremberg attestent de sa connaissance profonde de la religion juive. Pour s'en convaincre, il faut se reporter aux écrits d'un psychologue américain, descente aux enfers vertigineuse sur la personnalité des accusés de Nuremberg.

Gustave M. Gilbert, c'est son nom, naît en 1911 dans l'État de New York de parents juifs émigrés d'Autriche à la fin du XIXe siècle. Alors que la guerre éclate en Europe, en 1939, il obtient son doctorat en psychologie de l'université Columbia. Il entre dans l'armée et occupe très rapidement la charge de psychologue militaire avec le grade de premier lieutenant. Grâce à sa connaissance de la langue allemande, il est envoyé sur le Vieux Continent comme officier de renseignements. C'est ainsi qu'en 1945 il se retrouve à Nuremberg parmi l'équipe de traducteurs officiant pour le compte du Tribunal militaire international. Dès l'ouverture du procès, il comprend qu'il a devant lui un extraordinaire matériau d'études : des hommes à l'allure parfaitement normale accusés des pires crimes que l'humanité ait jamais engendrés. Il parvient à convaincre le colonel Burton C. Andrus, commandant la prison de Nuremberg, de l'importance de son projet et se retrouve quelques semaines plus tard psychologue officiel des dignitaires nazis accusés de crimes de guerre. Sans doute par peur de compromettre sa tâche, il passe sous silence le fait qu'il est juif. Et l'inimaginable se produit : un psychologue juif américain devient au fil des mois le confident de Hermann Göring, Rudolf Hess, Joachim von Ribbentrop... et Julius Streicher ! Chaque jour, il se rend dans leurs cellules et entame avec eux un dialogue qui ne prendra fin que la veille de leur exécution, tissant des liens avec des prisonniers trop heureux de trouver en Gustave Gilbert une écoute attentive dénuée de tout jugement de valeur. Quelques mois après le début de ces séances très particulières de psychothérapie, et parce qu'il se sent de plus en plus mal à l'aise avec son secret, il décide de dévoiler son origine juive. Un certain nombre de ses patients se détournent alors de lui. Pas Julius Streicher.

L'ancien patron tout-puissant de la Bavière prend plaisir à ces rencontres régulières – il faut dire que les autres prisonniers l'évitent systématiquement, refusant de frayer avec un vulgaire paysan à qui seul son antisémitisme virulent a valu un moment le privilège de côtoyer le premier cercle autour de Hitler. On ne le boycotte pas, mais on l'évite : il ne fait pas partie de la caste intellectuelle et aristocratique dont sont issus ses codétenus. Avec Gilbert, au contraire, il se sent à l'aise : le psychologue l'écoute et le prend au sérieux. Et même lorsque ce dernier lui aura révélé sa religion, Streicher n'en prendra pas ombrage, lui avouant que depuis le début il l'avait « senti », surtout au son de sa voix – « typiquement juive ». Au fil des entretiens, il lui confiera qu'il a étudié le Talmud pendant vingt-cinq ans, que personne d'autre que lui ne connaît aussi bien ce livre et qu'il était abonné avant-guerre aux *Israelitisches Wochenblatt*, un hebdomadaire juif paraissant en Suisse. « N'est-il pas diabolique, explique-t-il à Gustave Gilbert, que Dieu, comme l'indique le Talmud, ait dit aux Juifs : "Vous devez être circoncis et vous ne devez avoir des enfants qu'avec des femmes juives" ? C'est de cette manière que les Juifs ont gardé la pureté de leur race et ont survécu pendant des siècles. Le problème, c'est que nous aussi, les Aryens, avons la pureté de notre race à conserver et qu'il n'y a pas de place pour deux. » Le psychologue américain note ainsi que Streicher paraît obsédé par la question de la circoncision. Il la brandit à tout moment de la conversation pour s'en émerveiller. En fait, écrit le psychologue américain, Julius Streicher représente un concentré parfait de toutes les tendances antisémites de l'époque, toutes ces théories de la race qui plongent peu à peu leurs racines dans la biologie, la psychologie ou la médecine. D'où une répulsion viscérale à l'égard des Juifs qui se conjugue, paradoxalement, avec une admiration sans bornes pour ce peuple venu de la nuit des temps, toujours debout malgré les massacres et les pogroms : « J'ai toujours dit et répété, déclare Streicher devant la Cour internationale de Nuremberg, que nous devions prendre la race juive, le peuple juif, pour modèle. J'ai toujours répété que les Juifs devaient être considérés comme un modèle pour les autres races. Par leurs lois, par la circoncision, ils ont su se protéger et subsister alors que toutes les autres civilisations étaient anéanties. »

Ce mélange détonant de convictions scientifiques à l'emporte-pièce, de tendances idéologiques allant jusqu'à l'incitation au meurtre de masse et de connaissances approfondies de la culture juive finira par le mener à la mort. Peut-on en conclure que le Livre d'Esther ait fait partie de ses lectures ? C'est probable. Je vois bien ce que cette hypothèse entraînerait, mais je dois avouer en toute humilité que personne n'en sait rien. La seule certitude est qu'il connaissait la fête de Pourim et sa signification première : une manifestation de joie pour les Juifs sauvés d'une mort certaine.

D'autre part, il est avéré, par les circonstances de son arrestation, qu'il parlait yiddish. Voilà quelque chose d'assez surprenant pour un dignitaire nazi. Cela sous-entend qu'il l'a appris, qu'il a passé des heures à s'échiner sur la grammaire et le vocabulaire de cette langue issue du haut allemand mais avec des apports d'hébreu et de slave. S'est-il fait aider dans cet apprentissage ? Quelqu'un lui a-t-il enseigné le yiddish, aujourd'hui en voie de disparition ? Ou bien s'enfermait-il dans son cabinet de travail, seul, la nuit venue, pour s'initier en secret à la langue de tous ces Juifs d'Europe de l'Est qu'il allait contribuer, par sa propagande, à envoyer à la mort ? On ne le sait pas. Mais les faits sont têtus : il parlait yiddish. Pourquoi ? Pour quelles raisons s'est-il lancé dans cette formation ? Là encore, les réponses n'existent pas.

J'ai tracé sur ma feuille deux colonnes : l'une concerne les faits avérés, l'autre les questions qu'ils suscitent. Il est temps pour moi de séparer ce que savait Streicher de ce qu'il aurait pu savoir. Loin de tout sentimentalisme, la conclusion s'impose : cet homme connaissait parfaitement l'histoire du peuple juif, sa religion et sa culture – il avait tout appris ou presque sur ses victimes, pour mieux les confondre, mais pas seulement. On peut raisonnablement imaginer qu'il a pris du plaisir à les étudier, au point d'en apprendre la langue. Plaisir, intérêt, et, pourquoi pas, fascination ? La question mérite d'être posée à un historien et à un psychanalyste. Pour autant, que savait-il du Livre d'Esther ? Son histoire, sa signification – oui, sans aucun doute. Mais sa connaissance de la *Meguila* lui aurait-elle permis de devancer de quelques années les travaux du professeur Neugroschel ? Cela, nous ne le saurons jamais.

Dehors, il fait nuit noire. Quelques lumières scintillent, éclairs fugaces perdus dans la campagne, et témoignant d'une présence humaine. Quelque part, j'imagine que des familles vont passer à table, se réunir autour d'un plat chaud, discuter de la journée passée et de la journée à venir. En toute sérénité. Image d'Épinal bien sûr, rassurante pour mon esprit torturé se débattant avec des questions sans réponse, fantômes persistants d'un passé proche que je m'échine à tenter de comprendre.

Par exemple, depuis le début de cette aventure, une autre interrogation taraude mon cerveau, corollaire de celle que je me suis posée à propos de Julius Streicher : que savaient exactement les nazis de l'histoire du peuple juif ? Entendons-nous bien : je veux parler de l'élite, cette trentaine d'officiers et d'idéologues qui entouraient Hitler, et non de la masse des Allemands. Il m'a toujours semblé évident qu'une partie de ces gens, souvent cultivés et brillants, avaient dû étudier dans le détail l'objet de leur pulsion de mort. J'ai systématiquement posé la question à tous mes interlocuteurs, les historiens en particulier. La réponse est unanime : oui, ils savaient, oui, ils connaissaient l'histoire, la culture et la religion de ce peuple dont ils avaient juré la perte.

« Un homme, notamment, correspond à votre description. Il s'agit d'Adolf Eichmann. »

Le crâne dégarni, un sourire gourmand aux lèvres né de l'envie de partager ses connaissances, les yeux en perpétuel mouvement, Henry Rousso est l'un des historiens les plus respectés de sa génération. Ses livres sur la Seconde Guerre mondiale, notamment sur la collaboration sous le régime de Vichy, sont traduits en plusieurs langues. Il a tout de suite saisi le sens de ma question et s'est offert de mettre ses lumières à ma disposition. Je l'avais rencontré dans une brasserie parisienne, quelques jours avant mon départ pour Landsberg et Zurich.

« Pourtant, Eichmann n'est pas un intellectuel, il n'a pas fait d'études universitaires, mais c'est un excellent haut fonctionnaire, quelqu'un qui va jusqu'au bout de la tâche qu'on lui a assignée, avec sérieux et méthodologie. Il va ainsi faire des miracles au Centre de recherches sur la question juive.

Sa spécialité ? L'émigration. Figurez-vous qu'à l'époque les nazis n'avaient pas encore envisagé la Solution finale. En revanche, ils avaient une idée fixe : se débarrasser des Juifs installés en Allemagne. Eichmann est donc chargé d'organiser le départ de tous les Juifs du Reich. Il va lire énormément, tout ce qui lui passe sous la main et qui a trait à la question juive : des historiens, des auteurs classiques, des études savantes sur le judaïsme. Il rencontre beaucoup de monde : des rabbins, des chefs de communautés, des érudits. Si bien qu'il devient très rapidement *le* spécialiste de la question juive. En 1937, il part pour la Palestine avec pour mission d'organiser le transfert des Juifs allemands. Il passe par Haïfa et Jérusalem, mais il n'y reste que quelques heures. C'est au Caire, où il séjourne une dizaine de jours, qu'il va négocier avec des responsables sionistes. L'idée d'Eichmann est simple : les nazis laissent partir les Juifs mais à deux conditions. D'abord, tous leurs biens seront saisis par le Reich ; ensuite, ils devront payer eux-mêmes leur voyage.

» Les sionistes refusent : ils ont certes besoin de monde pour peupler la Palestine, mais ils manquent cruellement d'argent. Les négociations échouent.

— On ne peut pas s'empêcher de se demander ce qui serait advenu si elles avaient abouti !

— On peut en effet se poser la question, même si la réponse est impossible à donner. En tout cas, Eichmann met à profit toutes ces années pour parfaire sa connaissance du peuple juif. C'est probablement à ce moment-là qu'il apprend l'hébreu.

— Eichmann parlait hébreu ?

— Vous savez que des années plus tard, en 1960, il sera enlevé à Buenos Aires par un commando du Mossad. Selon l'un des participants à cette opération rocambolesque, Eichmann, iden-tifiant très vite ses agresseurs, s'adresse alors à eux en hébreu. Pas l'hébreu moderne que l'on peut entendre aujourd'hui en Israël... Non, celui de la Bible, une langue archaïque que personne ne parle plus ! »

Le train file dans la nuit. J'ai ouvert le carnet noir qui ne me quitte plus et dans lequel je viens de déchiffrer ces quelques notes prises à la volée. Eichmann parlant en hébreu au commando venu mettre un terme à la vie paisible qu'il menait en Argentine... La scène, telle que je l'imagine, me paraît totalement loufoque, mais elle apporte malgré tout une nouvelle pierre à l'édifice branlant de mon questionnement. Décidément, je dois continuer à chercher, quitte à ne recueillir que des esquisses de réponses.

« C'est un domaine encore en friche. Peut-être parce que nous, les historiens, avons toujours beaucoup de mal à retourner l'axe du point de vue, à analyser la situation de l'autre côté », m'avait dit Georges Bensoussan.

Grand, assez massif, entièrement vêtu de noir, il m'avait reçu dans les locaux du Mémorial de la Shoah, où il est responsable éditorial. Historien du sionisme, il a écrit des essais sur l'antisémitisme, la Shoah et la question de la mémoire. Sa voix est douce, son phrasé assez lent, comme s'il voulait amoindrir l'horreur des événements qui sont à la base de ses travaux.

« Il existe en réalité une multitude d'écrits ou de faits attestant du bien-fondé de votre question. Mais rien de très consistant, si vous me permettez l'expression. Nous savons qu'à un moment les nazis ont eu l'idée de créer à Prague un musée des Peuples disparus, dont les Juifs feraient partie, bien sûr. Mais cette histoire n'a jamais pris corps. Non, ce qui me vient à l'esprit, tout de suite, c'est la création à Francfort d'un Centre de recherches sur la question juive. Dès 1940, des tonnes de documents ont commencé à arriver de l'Europe entière, résultats de pillages systématiques de biens juifs.

— Des livres ? Mais les nazis ne les brûlaient-ils pas dans de gigantesques autodafés ?

— Dans les années 1930, oui : pour marquer les esprits, ils organisaient ce type de manifestation. Le feu était important, et sa puissance, purificatrice – les Juifs étaient considérés comme des êtres diaboliques, donc leurs livres l'étaient : il fallait les brûler (symbole que l'on retrouvera plus tard avec l'invention des fours crématoires). Ce n'étaient pas des humains, pas des sous-humains mais, selon Hitler lui-même, des *a-humains*, quelque chose qui ressemblait à la Bête dont il fallait se débarrasser. Mais à la différence de l'Inquisition, qui s'attaquait à la foi (en face d'elle, à la limite, vous pouviez abjurer votre religion, et vous étiez sorti d'affaire !), les nazis s'en prennent à la race et à ses risques de "contamination". C'est ainsi qu'ils ont été conduits à envisager la mort, l'extermination des Juifs.

— Revenons à ce centre de recherches, à Francfort…

— À travers toute l'Europe, les troupes d'occupation allemande avaient l'ordre de détruire les objets liturgiques juifs mais de ramasser tous les documents, de piller toutes les bibliothèques d'Europe et de les rapatrier à Francfort-sur-le-Main. Un bon exemple de cette politique se trouve à Paris, avec l'Alliance israélite universelle. »

(Sitôt après l'entretien avec Georges Bensoussan, je m'étais empressé d'appeler Avraham Malthète, le paléographe de l'Alliance. Je l'imaginais se frayant un chemin parmi ses livres, ses dossiers et ses reproductions de textes anciens pour atteindre le téléphone. Il m'avait immédiatement confirmé l'information : « Les Allemands ont littéralement vidé notre bibliothèque. Ils ont tout pris. Nous avions des milliers de volumes, dont un Talmud du XIIIe siècle, une double page manuscrite de Maïmonide, des trésors ! Après la guerre, nous avons tout récupéré. Tout était intact, classifié avec numéros de série et tampon du Reich. Il est clair que ces livres devaient être conservés et non détruits. »)

« Mais alors, que voulaient-ils faire de ces documents ?

— Les étudier, avait répondu Georges Bensoussan, connaître ce peuple que l'on dit "élu", qui possède le contact direct avec Dieu, qui est toujours vivant après des siècles de massacres et de pogroms. Le connaître pour mieux le combattre et l'annihiler – car il était hors de question pour les nazis de faire cohabiter la race aryenne avec ce qu'ils considéraient comme une race de dégénérés.

» En même temps, et nous avons beaucoup de témoignages qui vont dans ce sens, le Juif était pour eux investi d'attributs magiques. À tel point que – tout porte à le croire – plus les nazis tuaient de Juifs, plus ils en avaient peur... Comme si la haine pouvait leur revenir en boomerang. Voilà qui expliquerait en partie ce désir obsessionnel de massacrer des Juifs à la fin de la guerre, alors que tout était perdu pour l'Allemagne.

— De la peur ?

— La peur née de la fascination. Je m'explique : l'antisémite est un phobique. Il va donc emmagasiner un nombre considérable d'informations sur l'objet de sa haine. Jusqu'à en être fasciné.

— Là, nous ne sommes plus dans l'histoire...

— Vous avez raison. Nous sommes plutôt dans le domaine de la psychanalyse. Mais toutes les sciences sont les bienvenues pour essayer de comprendre cette monstruosité qu'a été la Shoah. »

Dans quelques minutes, le train arrive à Paris. J'aurais sans doute eu besoin d'une heure supplémentaire de voyage pour aller jusqu'au bout de ma réflexion. Je la résume : les Aryens ne peuvent supporter qu'une autre « race » leur dispute la primauté dans l'ordre des humains, *a fortiori* une race qu'ils méprisent. Ils décident de la faire disparaître de la surface de la Terre. Pour mieux la combattre, ils l'étudient et tombent, comme tous les phobiques, dans la fascination de leur ennemi. C'est là que naît dans leur esprit un sentiment auquel ils ne s'attendaient pas : la peur, une peur panique qu'ils ne peuvent calmer que par la disparition de l'objet de cette peur – le Juif. Un raisonnement singulier mais qui expliquerait en particulier cette formidable industrie de la mort qu'ils ont édifiée, l'une des plus diaboliques jamais imaginées par l'homme : réseau de chemins de fer, camps de concentration, invention du Zyklon B, chambres à gaz, fours crématoires. Sans cela, comment élucider cette folie meurtrière, cette obsession de l'anéantissement qui s'est poursuivie dans les camps à l'Est alors même que les troupes allemandes se rendaient à l'Ouest ?

Je crois que j'ai besoin, de toute urgence, d'un bon psychanalyste…

Nous ne nous étions pas vus depuis plus de vingt ans. Le temps est passé sur nous : mes cheveux ont blanchi, ses formes sont plus généreuses, mais elle conserve cette élégance dont j'avais gardé le souvenir. Pantalon et pull marron recouvert d'un cardigan gris, les cheveux auburn un peu plus courts que la dernière fois, des lunettes noires en écaille mais toujours cette faconde, cette envie de convaincre l'interlocuteur en n'hésitant pas à se servir de ses mains pour mieux scander ses arguments. Régine Waintrater est aujourd'hui une psychanalyste reconnue dont les travaux sur la Shoah et la mémoire ont été salués. D'emblée, nous retrouvons le tutoiement qui était le nôtre il y a vingt ans ; elle m'entraîne dans la cuisine pour me servir un verre d'eau et se préparer un café avant de m'inviter à la suivre dans son bureau. Par déformation professionnelle, sans doute, elle me désigne le divan recouvert d'un kilim tandis qu'elle prend place sur son fauteuil pivotant d'analyste. L'acte manqué (ou voulu) me fait sourire, et la discussion peut s'engager.

« Tu as raison, dit-elle d'emblée après que je lui ai exposé mes idées sur les ressorts de l'antisémitisme nazi. C'est le mécanisme type de la peur paranoïaque. Dans toutes les logiques génocidaires, on assiste au même phénomène. Le paranoïaque a besoin de son objet, il est obsédé par lui, il veut tout savoir de lui… pour mieux le combattre. C'est l'art de la guerre poussé dans ses ultimes retranchements. On constate en général trois temps dans la mise en marche de cette machine infernale :

» 1/ Mon ennemi me veut du mal, il me déteste et cherche à me tuer.

» 2/ Je dois donc me protéger.

» 3/ Par conséquent, je dois agir et l'annihiler avant qu'il ne me tue.

» C'est ce que j'appelle la "trilogie de la mort". Elle est implacable. Et plus on connaît l'objet de sa paranoïa, plus on est fasciné par lui, plus on le craint. Une course contre la mort s'engage alors : il faut que je m'en débarrasse avant qu'il ne le fasse !

» C'est ce qui explique cette soif de connaissances qu'ont manifestée certains nazis à l'égard du peuple juif. Comment ces gens peuvent-ils encore exister alors que cela fait deux mille ou trois mille ans qu'ils sont rejetés, pourchassés, assassinés ? Par quels mystères ce peuple est-il encore debout ? Qu'a-t-il de plus que les autres ? La réponse du paranoïaque est simple : ces gens possèdent des pouvoirs occultes, ils sont maléfiques, il faut les faire disparaître de la surface de la Terre ! »

Régine me raconte alors qu'elle a pu vérifier cette logique délirante lors de ses travaux sur le génocide tutsi au Rwanda. Les rumeurs les plus folles couraient sur eux, relayées par les radios hutus, qui poussaient au massacre. Et, de la même manière que dans l'Allemagne des années 1940, cette trilogie de la mort s'est mise en place, produit d'une paranoïa collective. Huit cent mille Tutsis ont ainsi été découpés à la machette en moins de trois mois, d'avril à juillet 1994. Ce qui, reporté à ce petit pays d'Afrique et à la durée du génocide, est proprement terrifiant. Pas question de comparer les deux génocides, justifie-t-elle, l'ampleur et les moyens mis en œuvre n'ont rien à voir, mais il est saisissant de constater que les mécanismes psychologiques aboutissant à la tentative d'anéantissement d'un peuple sont rigoureusement les mêmes.

« Revenons à la Shoah... lui dis-je. Il y a quand même un certain nombre de spécificités qui en font un cas à part dans l'histoire de l'humanité...

— D'abord il faut noter que les Juifs n'en sont pas à leur première Solution finale. Après tout, si l'on en croit le Livre d'Esther, il me semble qu'Aman, le Premier ministre d'Assuérus, avait précédé Hitler de quelques siècles. »

La référence à Esther me fait sourire : mon amie y est arrivée toute seule, sans connaître l'objet de mes recherches.

« Il existe d'autres spécificités, bien sûr. Je pense par exemple à l'expérience de l'indicible, de l'"innommable", ainsi que l'ont appelé les survivants des camps de concentration. Attends... »

Elle se dresse d'un bond et se dirige vers sa bibliothèque. Elle n'hésite pas en choisissant un livre parmi les centaines qui s'y trouvent. J'ai le temps d'en lire le titre avant qu'elle ne regagne son fauteuil : *Si c'est un homme*, de Primo Levi.

« Écoute : "Peut-être que ce qui s'est passé ne peut pas être compris, et même ne doit pas être compris, dans la mesure où comprendre, c'est presque justifier." Et un peu plus loin : "Car si la guerre peut avoir un rapport avec ce genre de lutte, Auschwitz n'a rien à voir avec la guerre, elle n'en est pas une étape, elle n'en est pas une forme outrancière. La guerre est regrettable, mais elle est en nous, nous la comprenons. Mais dans la haine nazie, il n'y a rien de rationnel[8]." »

Régine repose le livre, soudain très lasse. La lecture semble l'avoir épuisée.

« Et je pourrais continuer ainsi pendant des pages et des pages. C'est cette incompréhension qui a du reste poussé Primo Levi au suicide. Ou alors, au contraire, l'effroi ressenti à mesure qu'il approchait de la vérité... »

---

8. Primo Levi, *Si c'est un homme* (Pocket).

Elle referme le livre et le replace dans la bibliothèque sans un mot. Je pense alors que l'entretien est terminé. Mais voilà que, regagnant son fauteuil, elle s'anime à nouveau.

« J'allais oublier un point essentiel : la transmission, l'obsession nazie de couper la transmission ! »

Elle a retrouvé sa verve, se servant des mots pour chasser de son bureau l'ombre du grand intellectuel italien. Au moment où elle s'apprête à développer la question, je pense à cette célèbre ordonnance émanant de la Sécurité du Reich, datant d'octobre 1940, demandant à toutes les autorités allemandes d'empêcher les Juifs d'émigrer à l'Ouest. Les rabbins et les enseignants du Talmud y sont particulièrement visés, responsables, selon l'ordonnance, de la régénération spirituelle et durable du judaïsme. Ce sont eux les plus dangereux. C'est écrit noir sur blanc. J'en parle à Régine.

« Les rabbins… mais aussi les femmes et les enfants, complète mon amie. C'est-à-dire les responsables de la transmission. Les nazis avaient compris que, si l'on coupait le judaïsme de ses racines, il disparaîtrait. Voilà pourquoi ils ont tout tenté pour y parvenir. Laisse-moi te raconter une histoire troublante qui résume tout notre propos. Je ne l'ai pas vécue. C'est un ami psy qui me l'a confiée. Il y a quelques années, il est parti en vacances en Scandinavie. Il voulait s'approcher au plus près du cercle polaire, là où le soleil ne se couche jamais pendant trois mois. Il est ainsi parvenu à Tromsø, en Norvège, l'une des villes les plus septentrionales au monde. Température moyenne annuelle : 3 °C, et l'obscurité la plus totale pendant les mois d'hiver. Tu imagines… Un jour, il se promène dans la ville, et au beau milieu de la Grand-Place il tombe sur un monolithe, un énorme bloc de pierre qui se dresse vers le ciel, accompagné d'une stèle et d'une inscription en anglais. Il apprend qu'en 1942 trois familles juives vivaient à Tromsø, composées de seize adultes et d'une petite fille. D'où venaient-ils ? Étaient-ils en fuite d'Europe de l'Est ? Pensaient-ils avoir trouvé, près du cercle polaire, un asile dans lequel ils pourraient attendre la fin de la guerre ? La stèle ne le précisait pas. Les nazis ont appris l'existence de ces trois familles. Ils n'ont pas hésité à détourner un train sur plusieurs milliers de kilomètres pour venir chercher ces Juifs du cercle polaire. Ils ont tous fini à Auschwitz. »

Elle se tait un long moment, accablée par l'histoire qu'elle vient de me raconter. Puis elle reprend à voix basse :

« Les nazis pensaient que ces gens-là pouvaient faire renaître le peuple juif. Ils se sont dit que, s'ils parvenaient à tuer tous les Juifs de la Terre, il resterait toujours, près du cercle polaire, une branche de l'arbre qui donnerait de nouvelles pousses. Et qu'il faudrait tout recommencer. Voilà pourquoi ils ont détourné un train et qu'ils les ont conduits dans un camp d'extermination. »

En quittant mon amie, je ne peux m'empêcher de penser à une petite fille que je ne connais pas.

Et si...

Le printemps s'est installé sur Paris. Depuis la fin de notre enquête, j'entre de plus en plus souvent en contemplation devant les nuages qui courent dans le ciel, comme lorsque j'étais enfant et que j'essayais de leur imaginer une ressemblance avec des objets de la vie quotidienne. Cette attitude me trouble et m'inquiète, mais, en même temps, je sens qu'elle m'est nécessaire. En classe de terminale, on nous avait appris que la philosophie se divisait en deux domaines : celui de la connaissance et celui de l'action. Et, de façon évidente, il m'avait toujours semblé qu'il fallait d'abord connaître avant d'agir. Je crois que, dans cette histoire, j'ai fait complètement fausse route. Je suis allé en Allemagne, en Israël, en Suisse, j'ai interrogé un nombre incalculable de gens, j'ai consulté des centaines de dossiers, lu une bonne vingtaine de livres, pris des avions, des trains et des voitures... pour en arriver là, aujourd'hui, avec une interrogation fondamentale, sur laquelle j'aurais peut-être dû m'arrêter un long moment avant de m'engager dans cette aventure. Elle est née, cette question, au milieu des ouvrages savants posés sur la table du Professeur, à Jérusalem, alors que celui-ci nous expliquait sa démarche. Elle a grandi au cours de mes échanges avec les historiens et s'est développée lors de ma visite à Landsberg, dans ce qu'il reste aujourd'hui du camp de concentration attenant à la ville.

Cette question, la voici : si quelqu'un avait pu percer le mystère du Livre d'Esther avant la guerre, avant la Shoah, le cours des choses aurait-il pu être changé ?

Pour y répondre, je les ai tous convoqués, tous mes interlocuteurs : érudits, croyants ou non-croyants, spécialistes de cette période ou psychanalystes. Ils sont tous là dans mon précieux carnet de moleskine noire où j'ai scrupuleusement consigné toutes leurs réponses, mais aussi mes impressions et mes doutes. J'entends déjà leurs voix qui ne demandent qu'à sortir de ces feuillets blancs à petits carreaux, réclamant la parole afin d'apporter leur réponse à ma question.

Voici d'abord le Rav Bloch qui s'avance, la tête couverte de son grand chapeau noir, la barbe broussailleuse, son sourire bienveillant et le ton pédagogue : « Rien n'aurait pu être évité ! Ou alors il aurait fallu que tous les Juifs reprennent le chemin de la synagogue et se rapprochent de la Torah. Voilà des siècles que nos érudits mettaient le monde en garde contre les menaces que recelait la *Meguila*. Germania et les 300 têtes couronnées, les commentaires du Gaon de Vilna, tous se rejoignaient pour prédire le danger. Ils n'ont été entendus par personne – peut-être parce que les horreurs qu'ils pressentaient faisaient trop peur... Peut-être parce qu'on pensait que ces menaces émanaient de vieux rabbins qui n'avaient plus toute leur tête. C'étaient des élucubrations dignes de religieux qui ne vivaient pas avec leur époque... Non, le code d'Esther n'aurait rien changé ! »

C'est au tour de Mordechay Neugroschel de prendre la parole, les yeux toujours pétillants derrière ses lunettes cerclées d'or : « Cette question, je me la suis longtemps posée dans la solitude de mes calculs. Ma réponse est sans appel : non, rien n'aurait pu empêcher la Shoah. Il faut quand même penser que cette barbarie n'a pas lieu n'importe où. Nous sommes à la fin du XIXe siècle et au début du XXe siècle dans l'Allemagne des Lumières, dans un pays qui rassemble les esprits les plus brillants de leur temps. On y parle de liberté, de droits de l'homme, on y découvre la psychanalyse, le marxisme, la physique quantique et la théorie de la relativité, la science fait des progrès spectaculaires – je parle de Zweig, de Freud, d'Einstein ou de Marx : tous des Juifs, je sais, mais justement, ils participent par leurs découvertes à l'essor de l'humanité. Et vous voudriez que l'on puisse croire des oracles annonçant que ce pays-là, ces Lumières-là vont accoucher de la barbarie la plus absolue depuis la nuit des temps ? Non, ce n'était tout simplement pas i-ma-gi-na-ble ! »

« Mais de quelles Lumières parlez-vous ? s'indigne Georges Bensoussan, l'historien, ses cheveux poivre et sel en bataille, le corps massif contrastant avec sa voix douce. Celles de Kant, qui décrit les Juifs comme des vampires de la société ? Celles de Schopenhauer, qui pense que Dieu a donné aux Juifs une odeur spécifique qui les rend reconnaissables partout, le *foetor judaicus* – la "puanteur juive" ? Ou encore celles de Proudhon, qui accuse les Juifs d'être les ennemis du genre humain et prône qu'on les envoie en Asie ou qu'on les extermine ? Et je ne veux même pas citer Hegel ou Heidegger ! Non, l'antisémitisme allemand vient de loin, du Moyen Âge, au cours duquel les Juifs étaient considérés comme des âmes maléfiques, des suppôts du diable. Ils personnifiaient l'Antéchrist, on les voyait comme des animaux à visage humain, jusqu'à ce qu'ils deviennent au début du XXe siècle le symbole d'une modernité haïssable, avec ses mœurs dissolues et son argent vite gagné, face au rêve d'une Allemagne pastorale et romantique. Que la Seconde Guerre mondiale aille chercher ses racines dans les clauses de l'armistice de 1914-1918, ressenti comme une humiliation par les Allemands, il n'y a pas de doute ! Mais pas l'antisémitisme. Il était présent dans toutes les couches de la société allemande depuis un bon millier d'années ! Songez qu'au début du siècle il y avait pas moins de 450 publications à caractère antisémite pour la seule Allemagne. Non, la Shoah est un aboutissement, pas une anomalie… Et vous savez quoi ? À cette époque, le monde avait entre les mains quelque chose de beaucoup plus fort que le Livre d'Esther : *Mein Kampf* ! Il y avait tout, dans ce livre. Hitler annonçait tout ce qu'il accomplirait sitôt arrivé au pouvoir. Et qu'a-t-on fait ? Rien ! Et le pire, c'est qu'en tant qu'homme et historien je ne suis pas persuadé que la leçon ait été retenue. »

Voici enfin le Rav Chaya, le « sachant », comme il aime à se présenter, dans son bureau baigné de lumière, un ordinateur et la Torah sous la main, et le tombeau du prophète Samuel à portée de vue. « Qui peut répondre à cette question ? "Et si… ?" Lorsque j'ose m'interroger sur la Shoah, j'ai le sentiment d'être en face d'une machine infernale que rien ni personne n'aurait pu arrêter… Je ne vais pas vous entreprendre sur la question de Dieu après Auschwitz, d'autres l'ont fait bien mieux que moi[9]. Pourtant, Il était là ! Et Il a laissé faire ! Je n'ai que des bribes de réponses qui ne me satisfont pas, alors je continue à chercher, à réfléchir pour trouver un sens à tout cela. »

Il a baissé les yeux en secouant la tête. Un moment, il paraît désemparé, mais très vite il s'anime à nouveau, repoussant à plus tard, dans la solitude de ses pensées, *la* question fondamentale du judaïsme depuis la fin de la guerre.

« Je suis d'accord avec le Rav Bloch ! Tout était écrit et personne n'a voulu lire. Élucubrations de vieux sages barbus… Cela n'a pas beaucoup changé ! Par exemple, si je vous dis que nous sommes entrés en période prémessianique, que la venue du Messie est proche… Vous allez me prendre pour un fou, n'est-ce pas ? »

---

9. Hans Jonas, *Le Concept de Dieu après Auschwitz* (Rivages).

Il a retrouvé son ton de prédicateur, maniant brillamment les mots et les idées, ménageant des silences après chacune de ses questions.

« Je vais vous confier un secret : nous sommes proches de la fin du monde ! »

Et il éclate de rire, nous laissant pantois, partagés entre curiosité et incrédulité.

« Je vous le dis : vous allez me prendre pour un fou ! Et pourtant, je sais que j'ai raison. Je vous rassure, je ne suis pas tout seul à penser que nous approchons de la fin : des centaines de barbus comme moi, vêtus de noir, sont arrivés à la même conclusion. Dans ce livre, ajoute-t-il en brandissant une Torah, il est écrit noir sur blanc ce qui va se passer dans les mois ou les années à venir ! Mais qui nous écoute ?

— Nous vous écoutons ! lance Yohan un peu par défi. Profitez-en !

— Si vous insistez... » concède-t-il avec un grand sourire.

Il a réussi son coup : il va pouvoir développer sa théorie à *notre* demande.

« Il est écrit dans la Bible que cinq signes très révélateurs annonceront la venue du Messie. Quels sont-ils ?

» D'abord, le retour en Terre sainte. "Je mettrai un terme à ton exil" (Deutéronome, chapitre 30). Depuis 1948, à l'encontre de toute logique, l'État d'Israël existe. Qui aurait misé un sou sur cette éventualité ? Qui aurait pu penser une seconde que la promesse prononcée par chaque Juif depuis des siècles et des siècles lors de la fête de Pessa'h, "L'année prochaine à Jérusalem", se réaliserait un jour ? Et pourtant, c'est un fait établi, universellement reconnu : le peuple juif a repris possession de la terre d'Israël.

» La deuxième condition concerne la terre. "La terre aride deviendra florissante" (Ézéchiel, chapitre 36). Je ne vais pas vous raconter les véritables miracles qui se sont produits ici, comment les hommes ont fait pousser de l'herbe et des arbres dans le désert. Aujourd'hui, les experts agronomes israéliens sont demandés dans le monde entier. Ils savent redonner la vie à une terre morte. Or, selon les érudits, il n'y a pas de signe plus clair de l'ère prémessianique.

» Troisième condition : cette période sera précédée par les douleurs d'enfantement du Messie. Des douleurs terribles, comme l'homme n'en a jamais connu, s'abattront sur le monde. Elles seront tellement fortes qu'un sage du IVe siècle disait : "Je vis chaque jour dans l'attente du Messie mais je préfère ne pas être là lorsque ces douleurs commenceront !"... Cela vous fait penser à quelque chose ? La Shoah, bien sûr, mais aussi le Goulag : tout le XXe siècle témoigne de ces douleurs !

» Quatrième condition : l'effondrement des systèmes régissant l'humanité. Je ne vais pas m'attarder là-dessus : vous êtes journalistes et vous savez mieux que quiconque que les idéologies sont mortes. Nazisme, communisme, maoïsme, il ne reste plus rien de ces idées qui ont agité la planète et occasionné la mort de dizaines de millions de personnes. Même le capitalisme est mort ! Il vit ses dernières heures : l'ensemble des systèmes politiques et économiques s'est effondré.

» Cinquième condition, enfin : le retour aux racines, ce que l'on appelle "faire *techouva*". Tout le monde vous le dira : en Israël mais aussi aux États-Unis, en Angleterre ou en France, le mouvement s'accélère ! Ce sont des millions de Juifs qui retrouvent leur identité religieuse en observant les lois de la Torah. Il y a aujourd'hui dans ce pays 63 % des Israéliens qui étudient les textes sacrés ! Il est vrai qu'après la Seconde Guerre mondiale, après la Shoah, le judaïsme a traversé une longue période d'interrogations, de doutes, et c'est normal ! Désormais, la marche a repris, et elle ne s'arrêtera plus.

— Donc, tout va bien ! conclut Yohan. Les cinq conditions sont réunies et le Messie va arriver. Mais... quand ?

— Impossible de répondre à cette question ! Mais je vous rassure, jeune homme, ajoute le Rav Chaya, les yeux brillants, l'attente ne sera plus très longue. »

J'ai toujours été fasciné par les belles histoires, aptes à me faire rêver et à me faire voyager à travers le temps et l'espace. Mais je me méfie aussi de ces croyances qui veulent tout expliquer et trouver une cause à tout effet. Le chemin parcouru depuis le voyage à Nuremberg a calmé mes ardeurs cartésiennes, entrouvrant très légèrement la porte de l'inexplicable ; mais en même temps il m'a conforté dans l'idée que la recherche et l'analyse étaient indispensables à la connaissance, aux antipodes d'une soumission à une parole donnée et *a fortiori* révélée. Seulement voilà, notre interlocuteur a allumé ma curiosité, et c'est elle – et seulement elle – qui me pousse à demander :

« Existe-t-il un texte annonçant l'événement ?

— Yalkout Chimoni sur Isaïe, chapitre 499, annonce fièrement le Rav Chaya en se saisissant de son livre favori. Écoutez plutôt !

» "Le roi de Perse entre en conflit avec le roi d'Arabie

» "Le roi d'Arabie va en Occident prendre conseil

» "Revient le roi de Perse pour détruire le monde entier.

» "Tous les peuples de la Terre s'ébruitent, terrorisés,

» "Tombent sur leur face et sont pris de douleurs comme une femme qui accouche.

» "Le peuple juif, terrorisé, dit : 'Où aller ? Où venir ?'

» "Dieu leur répond : 'Mes enfants pourquoi avez-vous peur ?

» "'Tout ce que j'ai fait, je ne l'ai fait que pour vous.

» "'Le temps de votre rédemption est arrivé.'" »

Le Rav Chaya repose le livre et reste un long moment silencieux. Puis il reprend d'une voix lasse :

« Il n'est pas nécessaire d'être un spécialiste de géopolitique pour comprendre ce texte. Nous y sommes. D'une part, nous savons que l'Iran et l'Arabie saoudite sont des ennemis irréductibles qui se vouent une haine féroce. D'autre part, Riyad est l'allié indéfectible des États-Unis dans la région. Il est donc normal que, se sentant en danger, le roi d'Arabie aille demander de l'aide aux Américains. Cela ne suffira pas, dit le texte, et la guerre éclatera avec la menace, ressassée inlassablement par les dirigeants iraniens, de larguer une bombe atomique sur Israël.

» *Mein Kampf* n'a pas servi de leçon aux hommes. L'histoire va se répéter et personne ne fait rien. D'où ma question préliminaire : qui se soucie de ce texte tiré du Yalkout Chimoni ? Qui nous écoute ? »

Épilogue

« **L**a vie emprunte parfois des parcours sinueux. Je travaillais dans une maison de production, je m'occupais d'émissions de flux, j'étais jeune, célibataire, j'avais de l'argent pour sortir et m'amuser... Tout le monde me prédisait une *success story* à l'américaine. Sur le plan spirituel, j'étais traditionaliste, c'est-à-dire que je mange casher, que je respecte le Shabbat, que je vais à la synagogue, bref, que je vis mon judaïsme de manière naturelle et sereine – au point que, pour faciliter les choses, toute la boîte de production où je travaillais s'était mise à manger casher lors de ces réunions interminables où des plateaux-repas font leur apparition.

» Le problème, c'est que personne n'est infaillible et qu'il arrive que l'on commette des erreurs de parcours ou que l'on change de cap. Quand je parle de cette époque, j'ai toujours à l'esprit l'image d'un athlète qui se blesse et qui ne peut plus continuer à courir comme on le lui a appris.

— Une blessure ?

— Oui, mais une blessure salutaire ! Une blessure qui serait un signal que les choses ne peuvent pas continuer à exister de la même manière...

— Et le changement de cap, pour toi, c'est cette fameuse pendaison de crémaillère où tu entends parler pour la première fois de la prophétie d'Esther qui le provoque ?

— Absolument ! Je me suis dit : qu'est-ce que je vais faire de tout ce que j'ai appris auprès du Rav Bloch ? Et comme il n'y a pas de hasard, je crois que tu commences à le savoir, cette interrogation survient au moment où la téléréalité envahit tous les écrans et que mon métier perd de son intérêt. Je suis assez impulsif, tu t'en es aperçu [rires], et je décide sur un coup de tête de tout lâcher pour m'engager dans cette aventure. J'allais le payer très cher ! Et pourtant, la première personne à qui je raconte mon histoire se passionne pour ce projet. Elle décide d'engager des fonds pour me permettre de faire mon enquête, qui doit déboucher sur un documentaire de télévision. Génial ! Ça commence bien ! Je ne doute pas un seul instant que j'ai fait le bon choix.

— Sauf que, si je me souviens bien de ta mise en garde avant que je ne décide de travailler avec toi, on ne joue pas impunément avec des sujets comme celui-là...

— Justement : au fur et à mesure que j'avance dans l'enquête, les difficultés s'accumulent. Je te fais grâce des détails : ma petite structure qui fait faillite, des tonnes de dettes, pas d'Assedic, tes amis qui se détournent de toi – une véritable descente aux enfers ! Ceux qui ont vécu cette expérience savent de quoi je parle : économiquement, rien ne va plus, et socialement je suis devenu un pestiféré !

» Et pourtant, cette période a été l'une des plus intenses de ma vie. Je me suis peu à peu détaché des biens matériels pour mieux me rapprocher du spirituel.

— Ne me dis pas que tu es devenu ascète et que tu es parti vivre dans le dénuement le plus total, loin de toute contingence...

— Non, je te rassure ! J'ai continué à me battre pour remonter la pente, et c'est à ce moment-là que j'ai rencontré celle qui allait devenir ma femme. Et j'ai fait une découverte : lorsque tu n'as plus rien à donner, ceux qui viennent vers toi le font pour ta personnalité, tes qualités, mais pas par intérêt. Ça change tout ! J'ai aussi appris à conjuguer le verbe "patienter" à tous les temps... ce qui m'a permis d'attendre ton irruption dans ce projet, dans ma vie.

» Mais parlons un peu de toi, de notre rencontre... À l'époque, tu es ce que l'on appelle un "Juif de Kippour"...

— Oui, autrement dit un Juif laïc, qui jeûne le jour du Grand Pardon et respecte les autres fêtes (Pourim, Roch Hachana, Pessa'h) parce qu'elles sont synonymes de réunion de famille autour de la figure maternelle. C'est ma mère le noyau central, le ciment de notre fratrie, c'est elle qui fait vivre la religion à travers ses plats et sa bonne humeur dans un judaïsme bon enfant, elle qui assure la transmission.

» Juif, donc, doté d'une force tranquille acquise au contact de ma mère, mais victime parfois de vexations relevant plus de la bêtise que du véritable antisémitisme ("Ah, vous êtes juif ?... Vous n'en avez pas l'air...", ou encore : "Vous allez bien prendre un pseudonyme en tant que journaliste... Vous y avez droit ! Parce que votre nom est un peu... lourd !"). Rien de très marquant, juste quelques petites pierres qui vont jalonner tout mon parcours, me rappelant à point nommé, au cas où je l'aurais oublié, que je suis juif. Jusqu'à ce jour où, au cours d'un dîner, cinq mille ans d'histoire m'ont rattrapé... Écoute ce qui s'est passé.

» Ils étaient tous là autour de la table, psychanalystes, universitaires ou journalistes, à refaire le monde ainsi que le veut la tradition dans le milieu intellectuel. Soudain, après la blanquette de veau et en attendant le dessert, la discussion s'était focalisée sur les Juifs, sans animosité ni préjugés, autour d'une question : pourquoi y avait-il tant de Juifs dans les milieux médical et musical ? Je les entendais, un léger sourire aux lèvres, émettre des hypothèses farfelues, tenter une explication cohérente, esquisser un début de solution... Décidément, il fallait que je les éclaire, pauvres égarés en manque de sociologie historique ! Et dans un grand esprit humaniste, me voilà brassant les siècles et l'antisémitisme intrinsèque à l'Église catholique, expliquant que les Juifs n'avaient pas le droit de posséder des terres jusqu'au XIXe siècle, que seuls quelques métiers précis leur étaient réservés, que, pogroms après massacres, ils étaient obligés d'émigrer, de se déplacer vers d'autres pays plus tolérants – d'où la figure du "Juif errant" – et que, assez rapidement, ils en étaient venus à trouver une solution pratique à leur quête incessante d'une contrée non ennemie où ils pourraient vivre en toute tranquillité.

» "Laquelle ? me lança l'un des convives, passionné par cette traversée sauvage (et approximative) des siècles que je leur proposais, alors que la tarte aux pommes apparaissait sur la table.

» – Il fallait que leur fonds de commerce soit aisément transportable. Mieux : qu'il ne prenne pas de place, qu'il ne soit pas à vendre (un stock aurait pu les retarder dans leurs déplacements), qu'il voyage avec eux sans qu'ils aient à craindre les voleurs ou les bandits de grands chemins. Qu'il puisse faire partie intégrante d'eux-mêmes. Qu'il tienne... dans leur cerveau. Leur fonds de commerce, c'était le savoir, la connaissance, la sensibilité. Et quelles sont les deux disciplines auxquelles s'appliquent parfaitement ces principes ? La médecine et la musique ! Voilà pourquoi, aujourd'hui encore, on trouve beaucoup de Juifs médecins, violonistes, pianistes ou analystes."

» Je triomphais. Ma démonstration les avait enthousiasmés. Enfin, ils comprenaient ! Jusqu'à ce que l'un d'entre eux me pose une question :

» "Et… par simple curiosité… Que font tes enfants ?"

» Avant même de répondre, je crus défaillir. L'histoire et l'inconscient collectif de tout un peuple me rattrapaient. La tête me tournait devant cette avalanche de pratiques, de rites ou de traditions qui se déversait en vrac. J'avais reproduit instinctivement, au sein de ma propre famille, un schéma vieux de plusieurs millénaires. Je finis par balbutier :

» "L'aîné est musicien, et le cadet, psychanalyste." »

« C'est sans doute ce que l'on appelle les "transferts héréditaires". Revenons à toi Yohan… Aujourd'hui, dans quel état sors-tu de cette aventure ?

— Je suis en paix avec moi-même. D'abord, le livre existe, et à lui seul il justifie ce que j'ai pu endurer… Je vais t'avouer quelque chose : cela remonte à mon adolescence, alors que j'étudiais au lycée l'histoire de la Seconde Guerre mondiale. Un événement m'avait profondément marqué : la "Nuit de cristal", avec ces photos où l'on voit les nazis brûler des milliers de livres dans des autodafés gigantesques. Je me souviens d'avoir pensé à ce moment-là, de manière instinctive et sans doute naïve, qu'un jour je remplacerais tous ces ouvrages qui partaient en fumée. C'est idiot, n'est-ce pas ? Eh bien, aujourd'hui, j'ai le sentiment de tenir une partie de cette promesse et d'accomplir le devoir de mémoire qui incombe à chacun.

» Mais il n'y a pas que ça : aujourd'hui, en écrivant ce livre, tu as réparé quatre ans d'humiliations, de souffrances et de doutes. Je respire mieux, je n'ai plus cette boule d'angoisse dans le ventre que j'ai traînée en moi tout ce temps. D'ailleurs, je ne fais plus de cauchemars !

— Et ta foi ? Tu t'es rapproché de l'idée de Dieu ?

— Ma foi est plus évidente. Pas plus forte. Un moment, pendant les années de galère, j'ai cru que Dieu me faisait la tête, qu'Il s'était détourné de moi. Aujourd'hui, je sais qu'il fallait que je fasse ma part de chemin avant de toucher au but ! Et c'est au code d'Esther que je le dois…

— Là, je te rejoins ! Cela fait quelques jours que l'idée me trotte dans la tête, et j'ai enfin réussi à la formuler : dans tout parcours initiatique, ce sont les épreuves qui sont plus importantes que le but poursuivi. Je crois que, moi aussi, j'ai changé…

— Quoi ? Tu vas te laisser pousser les papillotes ? [rires]

— Non, rassure-toi… J'ai beaucoup pensé à la rencontre que nous avons faite au Kotel, à Jérusalem, avec cet ancien soldat de la guerre du Kippour. Je crois que je pourrais dire la même chose que lui : je ne suis pas devenu religieux, mais je dois reconnaître que je n'appréhende pas les choses de la même manière. C'est difficile à expliquer, d'autant que ce sentiment n'est pas figé, il évolue, et je ne sais même pas vers quoi il va m'amener ! Je ne veux pas te décevoir, mais je ne crois pas qu'il me conduira vers une pratique religieuse très rigoureuse. Pourtant il est là, présent, il ne me quitte pas, et, de façon assez surprenante, il me procure une certaine forme de sérénité.

— Je voudrais ajouter quelque chose avant que le livre ne nous échappe définitivement : notre rencontre, c'est un clin d'œil de Dieu. C'est ma conviction intime. Parmi les 350 places de la synagogue, tu es venu t'asseoir à côté de la mienne, et c'est à ce moment-là que l'aventure a commencé. Tout est parti de ce choix. Et tu sais qui est derrière ce choix ? Ta mère, dont tu venais honorer la mémoire en récitant le Kaddish ! C'est elle qui est à l'origine de tout ! »

Vous croyez toujours au hasard ?

Repères chronologiques

Vers 300 av. J.-C.	Règne d'Assuérus en Mésopotamie
Vers 450	Traité de *Meguila*
1138	Naissance de Maïmonide
1187	*Mishné Torah*
1720	Naissance du Gaon de Vilna
20 avril 1889	Naissance d'Adolf Hitler
1914-1918	Première Guerre mondiale
8-9 novembre 1923	Putsch de la brasserie de Munich
1924	Hitler à la forteresse de Landsberg
18 juillet 1925	Parution de *Mein Kampf*
30 janvier 1933	Hitler devient chancelier du Reich
1935	Promulgation des lois antisémites
Avril 1938	Rattachement de l'Autriche au Reich
9-10 novembre 1938	« Nuit de cristal »
1939-1945	Seconde Guerre mondiale
27 avril 1945	Libération de Landsberg am Lech
Avril-mai 1945	Libération des camps de concentration
30 avril 1945	Suicide de Hitler à Berlin
18 octobre 1945	Ouverture du procès de Nuremberg
16 octobre 1946	Exécution des condamnés à mort
14 mai 1948	Création de l'État d'Israël

Bibliographie

Les livres consultés pour écrire ce livre sont innombrables. Parmi ceux qui nous ont aidés notablement :

Georges Bensoussan, *Génocide pour mémoire* (Le Félin, 1989)

Tom Bower, *L'Or nazi* (Plon, 1997)

David Cesarani, *Adolf Eichmann* (Tallandier, 2010)

Michael Drosnin, *La Bible : le code secret* (Robert Laffont, 2011)

Gustave Gilbert, Le *Journal de Nuremberg* (Flammarion, 1947)

Leon Goldensohn, *Les Entretiens de Nuremberg* (Flammarion, 2009)

Christian Ingrao, *Croire et détruire* (Fayard, 2011)

Paul Johnson, *Une histoire des Juifs* (J.-C. Lattès, 1989)

Hans Jonas, *Le Concept de Dieu après Auschwitz* (Rivages, 1994)

Claude Lanzmann, *Shoah* (Fayard, 1985)

Primo Levi, *Si c'est un homme* (Pocket, 1988)

Norman Mailer, *Un château en forêt* (Plon, 2007)

Daniel Mendelsohn, *Les Disparus* (Flammarion, 2007)

Henry Rousso, *Un château en Allemagne* (Fayard, 2012)

Jorge Semprun, *L'Écriture ou la vie* (Gallimard, 1996)

Antoine Vitkine, Mein Kampf, *histoire d'un livre* (Flammarion, 2009)

Régine Waintrater, *Sortir du génocide* (Payot, 2011)

Annette Wieviorka, *Le Procès de Nuremberg* (Liana Levi, 2009)

Crédits photographiques

1/ *Der Stürmer* – Fonds Yad Vashem – Droits réservés

2/ Julius Streicher – Fonds Yad Vashem – Droits réservés

3/ Livre d'Esther – Alliance israélite universelle – Droits réservés

4/ Livre d'Esther – Archives privées

5/ Parents de Bernard Benyamin – Archives privées

6/ Camp de Landsberg – Archives privées Anton Posset

7/ Adolf Hitler dans sa cellule de Landsberg – Fonds Mémorial de la Shoah/CDJC

8/ Tombe à Landsberg – Archives privées

9/ Max Aman et Adolf Hitler à Landsberg travaillant à *Mein Kampf* – Fonds Yad Vashem – Droits réservés

10/ Adolf Eichmann – Fonds Mémorial de la Shoah/CDJC

Remerciements

Toute notre gratitude au Mémorial de la Shoah et à Yad Vashem pour leur efficacité et leur aide concernant l'iconographie, en particulier Lior Smadja et Laurence Voix.

Ils sont nombreux, ceux qui, à un moment ou à un autre, m'ont aidé à écrire ce livre. Leurs remarques, questionnements ou critiques m'ont toujours été profitables. D'abord ceux d'Irène Barki, mon amie et agent, qui est à l'origine de ce projet et dont la relecture et les suggestions m'ont été d'une immense aide. Un grand merci aussi à Danièle et Richard, porte-drapeaux de la « bande du 42 », qui ont été parmi mes premiers lecteurs, et dont l'hospitalité et la générosité m'ont grandement aidé chapitre après chapitre. Ma gratitude va aussi à tous ces « hommes en noir » qui, de Paris à Jérusalem, m'ont accueilli avec chaleur, n'hésitant pas à me faire partager leurs connaissances et réflexions. J'ai découvert parmi eux des hommes d'une culture universelle, dotés d'un sens de l'humour insoupçonné derrière leur barbe souvent fleurie. Et puis j'adresse ici une pensée à ma famille, qui m'a patiemment accompagné tout au long de l'enquête, tempérant mes doutes et m'encourageant à chaque nouvelle découverte.

B. B.

Mes pensées vont à tous ceux qui m'ont soutenu dès le début, qui ont cru à cette histoire en répondant à mes demandes de soutien, tant morales que financières. Le projet s'intitulait alors « Pourim 1946 » et, depuis lors, beaucoup de choses se sont passées. Ma passion et mon énergie n'ont pas été suffisantes et si, parfois, j'ai tout mélangé, ce fut plus par maladresse que par volonté de nuire. J'ai tout accepté : moqueries et calomnies, j'ai parfois touché le fond, mais je n'ai jamais perdu espoir. Aujourd'hui, ce livre me permet de relever la tête et, je l'espère, de retrouver dans votre cœur la place que vous m'aviez accordée.

Mes remerciements vont d'abord au Roi des rois, Hakadoch Barou'h Hou. Il a été, Il est et Il sera toujours mon roi, mon père, mon refuge et ma consolation.

À ma femme, Magali, qui m'aide et me soutient jour après jour, heure après heure, minute après minute, pour que chaque instant soit éternel.

À mes parents, à mon frère Axel, à mes tantes Alice et Lydia et à mes oncles Serge et Robert, sans oublier mon beau-père Gerard Zaoui, qui m'ont soutenu, et qui ont toujours cru en moi durant cette longue période. Je ne vous dirai jamais assez combien je vous aime.

À Rav Israël Abib, mon rav, qui a été un bouclier dans toute cette période de tourments. Pardon à sa femme, à ses fils et à ses filles pour tout le temps pendant lequel ils ont dû me le prêter… Qu'Hachem le comble de Ses bienfaits pour toutes les générations.

Et à ma famille de cœur : Michael Lehiani pour sa générosité sans limite, et sa maman (pour tous les shabbats féeriques) ; Dr Charbit, qui est ma définition d'un ben-Adam ; Rav Méïr Bloch, l'homme le plus gentil du monde (approuvé par le Guinness des records) ; M. et Mme Bloch pour la mise à disposition de la chambre magique à Bayit Vegan, Me Roland Perez et sa famille, la famille Nabeth et leurs enfants ; la famille Zangrilli, sans oublier Noam et la petite princesse Odélia. Que Dieu vous apporte tout ce dont vous avez besoin.

À tous les rabbanim qui m'ont enseigné un peu de leur savoir : Rav David Messas zatsal, Grand Rabbin de Paris, Rav Joseph-Haïm Sitruk, Rav David Touïtou, Rav Elie Lemmel, Rav Avner Ibgui, Rav Ariel Messas, Rav Avraham Bloch, Rav Peres Braham, Rav Yona Hasky, Rav Ariel Gay, Rav Chlomo Olesniki, Rav Elie Perez.

Et aux belles rencontres que j'ai faites durant ces quatre ans : Fred et Gaëlle Ouazan, Thierry Marek, Albert Knafo, le Président Joël Mergui, Simon Marec, Péguy Lévy et Philippe Meyer, Yaïr et Eva Arbib, Me Michel Azoulay, Me Karen Bijaoui, Maria la fée, Alain Pilot, Pierre Zaoui, Gabriel Choucroun, Marianne Colombani, Marc Mazouz, Grégory Zaoui, Paul Amsellem, Gabriel et Tamar, Frank et Caroline Kalfon, Samuel et Déborah Benchabbat, Michael Abisdid, Rivka Israël, Daniel Marciano (pour ses bons conseils). À David et Anne Assuied, Benjamin et Myriam Brami, Ludovic et Myriam Zouari, Avraam Cohen (pour ses encouragements et ses bénédictions), Eric Benhamou, Ariel et Fabienne Elkoubi, Henri Zarka, Eric Haldezos.

À tous les fidèles des communautés de Pantin et de Maguen David – Ahavat Shalom et de mon beth-hamidrach Ohavé Torate'ha.

Sans oublier les premières personnes qui ont cru à ce projet et qui y ont participé ou travaillé activement : Pierre Chiche, Stéphanie Simon, Millie Salomon, Sandy Guenoun, Thierry Atthar, Stéphanie Spanioli.

Et à tous les autres, pas moins importants, qui grâce à leurs témoignages, à leur soutien, à leurs courriers, m'ont permis de reprendre des forces dans les moments difficiles pour toujours y croire : Richard Abbou, Gérard Abecassis, Roland Aben, Samuel Amar, Suzy Ambroso, Roland Amsellem, Gérard

Ankermann, Sylvie Ankri-Avy, Claude Assor, Sandra Ayache, Alain Azoulay, Sabine Azoulay, Laurent Bakouche, Jessica Baranes, Alexandra Barouch, Francine Behar, Jacky Benabou, Alice Benchimol, Arielle Benchimol, Cyril et Joséphine Benchimol, Gilbert Benchimol, Laurent Benichou, Alberto Benjoar, Avner Benkemoun, Serge Bensaid, Thierry Benyamin, Joseph Berrebi, Pierre Besnainou, Patrick Bloch, Oudy Bloch, Claude Botbol, Elie Botton, Rachline Botton, Serge Bouganim, Alain Boujenah, Patrick Braham, David Brahami, Bernard Braka, Franck Brami, Sylvain Casbi, Annie Chalfine Bellicha, Nissim Chelly, J.-M. Chemla, Sarah Cherkroun, Chevet Ahim, Nathalie Chiche, Suprême Chichou et ses petits chichons (message codé), Yaël Chomski, Jean-Jacques Choukroun, Katherine Choukroun, Élisabeth Cohen, Jacob Cohen, Laurent Cohen, Richard Cohen, Robine Dardour, Henri A. Keesje De Heer, Samuel Derman, Emmanuelle Djibre, Jennifer Dray, Pierre Echardour, Franck Elbase, Marie Elkaim, Arie-Marc Elkouby, Francis Erder, Eric Exeline-Sabbah, Prune Faro, Michel Ferlay, Yves Frandji, Charles Frydman, Vanessa Fuks, Françoise Futo, Charley Goëta, Jonathan Goldcher, Yves Gozlan, Elena Grinberg, Gérard Guedj, Nicole Guedj, Victor Guetta, Chantal Habert, Sophie Haddad, Bernard Hadgege, Alexandra Haggege, Sharon Haik, Claude Halber, Jean-Luc Haziza, Sandra Haziza, Laurent Issengou, Nicole Kaddouz, Bernard Kalifa, Martine Kazan, Bentsevi Kidouchim, Jean Korchia, Carine Krissi, Johanna Kupfer, Corinne Lachkar, Georges Lahmi, Jérémie Lahmi, Nicole Lascar, Roger Lascar, la SARL Layal Assanabel, Alexandre Lebhar, Henri Lebhar, Régine Lellouche, Serge Levy, Laurence Levy, Émile Librati, Hanna Madar, Haim Marciano, Jonathan et Élodie Markac, Audrey Markac, Philippe Meimoun, Michel Meralli, Patrick Mimoun, Benjamin Mimoun, Didier Mimouni, Serge Muller, Serge Nabet, Zofia Otynska, Eliel Ouanounou, Corinne Oyer, Patrick Oziel, Jean-Louis Pariente, Pierre Pariente,

Véronique Pariente, Andrée Perez, Franck Perez, Francky Perez, François Rameau, Robert Renassia, Caroline Reverdy, Jacques Rutkowski, Eric Sabbah, Claire Sachse Fontaine, Julia Salfati, Michèle Sarfati, Tamar Sarfati, Esther Savatovsky, Élisabeth Shemtov, David Siksik, Jean-Max Skenadji, Franck Souffan, Yves Soyeux, Yvette Taieb, Chantal Tanger, Marion Tessier, Bernard Tibi, Isabelle Tordjman, Mendy Touboul, Chantal Toyer, Richard Treister, Méïr Velasquez Folbaum, Didier Vivion, Judith Wahnich, Jean-Sylvain Weil, Richard Weil, Catherine Weil-Levy, Michel Weinstein, Simon Weinstein, Henri Zaout, Asher Zerbib, Charly Zerbib, Michel Zylbersztein, Mikhaël Zylbersztein.

À toutes les équipes d'Appli2phone, de Bemobee et de First qui ont participé activement à la réalisation de ce projet.

Enfin, une pensée à tous ceux qui ne sont plus là, mais à qui nous pensons toujours : Moshe et Esther Anidjar Zal, mes grands-parents maternels ; Morde'haï et Messaouda Perez, mes grands-parents paternels ; Simone 'Haya-Meha Zaoui ; Yéhouda Benchimol, mon oncle ; M. Salomon Haim Lehiani ; Rivka bat Nina Perez ; Samuel Perez ; Jo Perez.

Je n'aurais pas assez d'une vie pour vous remercier chacun à la hauteur du bien que vous m'avez fait. Pardon à tous ceux que j'aurais oubliés, je n'en suis pas moins reconnaissant.

À vous tous, je souhaite shalom, shalom, shalom.

Y. P.

Table

Ils ont lu *Le Code d'Esther* en avant-première. Découvrez leur identité et ce qu'ils ont pensé du livre en flashant les QR Codes.

CET OUVRAGE
A ÉTÉ ACHEVÉ D'IMPRIMER
SUR ROTO-PAGE
PAR L'IMPRIMERIE FLOCH
À MAYENNE EN NOVEMBRE 2012

N° d'impr. : 83617
D.L. : octobre 2012
(Imprimé en France)